14歳の
WORLDLY WISDOM FOR 14 YEARS OLD
世渡り術

わたしの外国語漂流記

未知なる言葉と格闘した25人の物語

河出書房新社

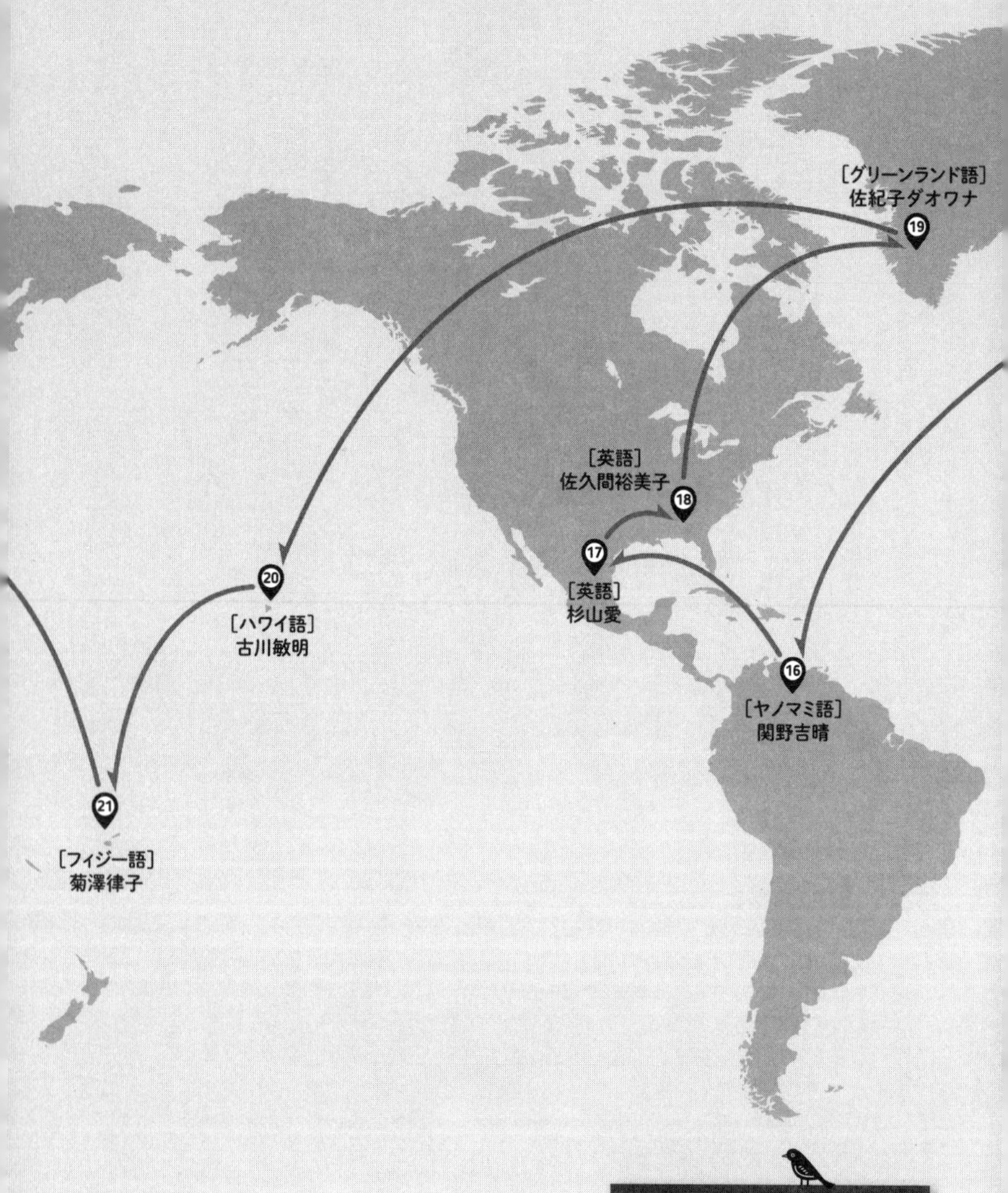

わたしの 外国語漂流記 ルートマップ

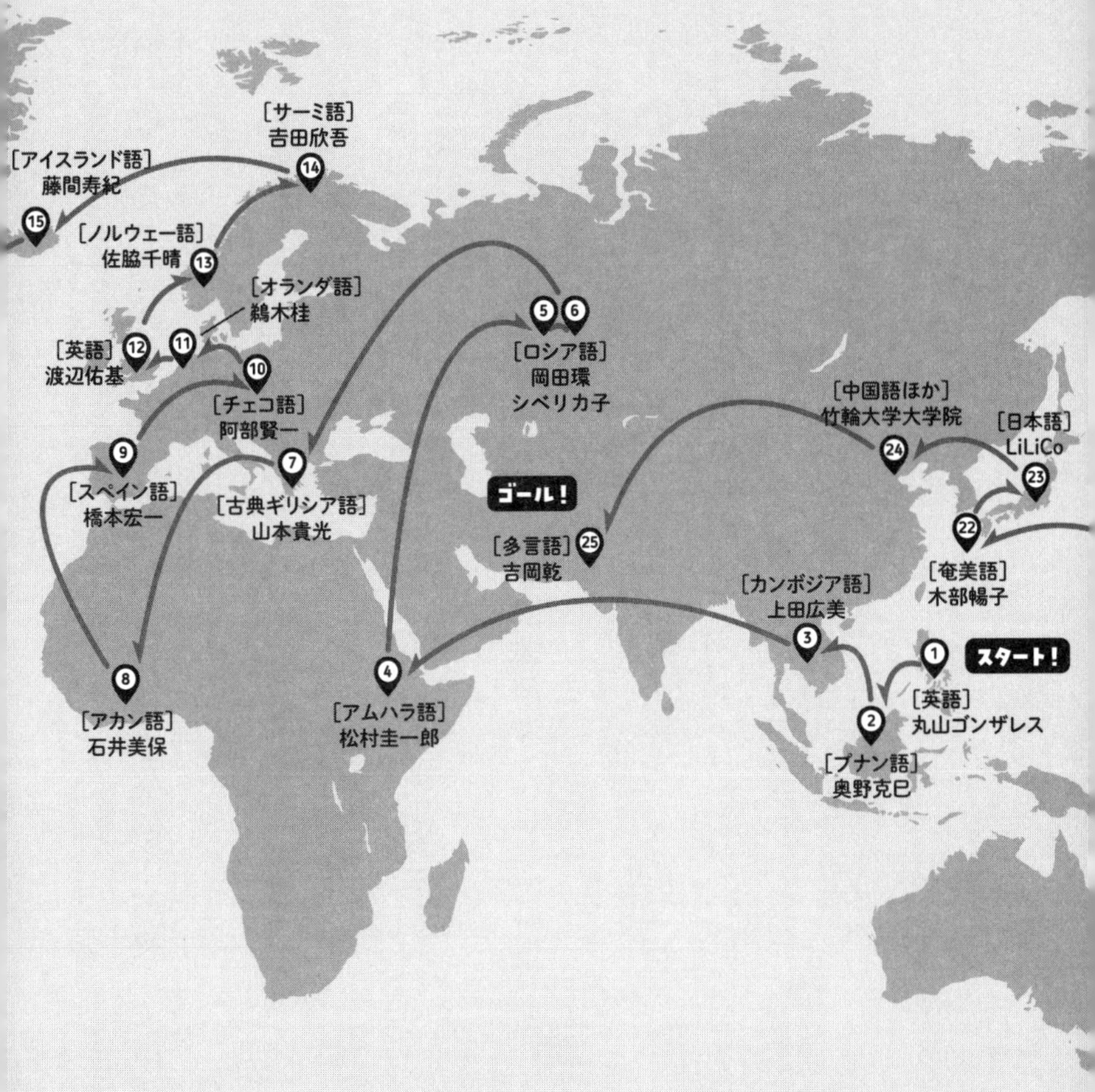
スタート！
1 ［英語］丸山ゴンザレス
2 ［プナン語］奥野克巳
3 ［カンボジア語］上田広美
4 ［アムハラ語］松村圭一郎
5 6 ［ロシア語］岡田環 シベリカ子
7 ［古典ギリシア語］山本貴光
8 ［アカン語］石井美保
9 ［スペイン語］橋本宏一
10 ［チェコ語］阿部賢一
11 ［オランダ語］鵜木桂
12 ［英語］渡辺佑基
13 ［ノルウェー語］佐脇千晴
14 ［サーミ語］吉田欣吾
15 ［アイスランド語］藤間寿紀
22 ［奄美語］木部暢子
23 ［日本語］LiLiCo
24 ［中国語ほか］竹輪大学大学院
25 ［多言語］吉岡乾
ゴール！

わたしの外国語漂流記　目次

START!

GOAL!

都心にも多くの野鳥が集まる、首都レイキャヴィクのチョルトニン湖近く。（アイスランド）

Pósthússtræ

1

英語

瞬発《しゅんぱつ》力が生死を分かつアウトロー英語

ジャーナリスト
丸山《まるやま》ゴンザレス

二〇一四年の終わり頃《ごろ》、フィリピンのセブ島に取材で訪《おとず》れていた。密造銃《じゅう》を作っている村に潜入《せんにゅう》するためだ。事前に集めた情報、人の伝手《つて》や紹介《しょうかい》を頼《たよ》りに、村まではたどり着くことができた。

この手の取材のときに馬鹿《ばか》正直にジャーナリストを名乗るようなことはない。日本ではともかく、海外の国々では政府や犯罪組織の不正を暴《あば》くような調査報道をする職業であることから、ジャーナリストを名乗ると、大抵《たいてい》の相手は「自分がなにか悪いことをしていると思われている」と判断してしまうのだ。

私の場合、好奇《こうき》心《しん》優先で知りたいことを探る。社会正義に基づく調査報道とは縁《えん》遠い取材がほとんどである。ただ、そのことを現場で説明したとて、理解されるかどうかはわからない。仕方ないので自分のことを「銃マニアの旅行者で日本から密造銃を見に来た」という設定で取材に臨《のぞ》んだのだ。

使う言語はブロークンイングリッシュ。それを使って外国人とのコミュニケーションが成立しているだけで、帰国子女でバイリンガルということもなく、かといって学生時代に海外留学をしたわけでもない。あえて定義するとしたら、私にとっての英語というのは取材のための道具でしかなかった。それも瞬発力を伴《ともな》う道具である。このあたりは、私の個人的で少し特殊《とくしゅ》な事情があるといえるかもしれない。

私は裏社会や犯罪をテーマに取材することが多いジャーナリストを生業《なりわい》としている。日本国内を取材しているときは英語を使うこともないし、日常生活では日本語しか使わない。

それがいざ海外に取材に出ると、今度は逆に日本語を使うことはほとんどない。取材のベースは英語での会話になるからだ。気がつけば一週間ぐらい日本語を口にしていないことも珍《めずら》しくはない。だからといって、いつも英語圏《けん》にばかり行くわけでもない。それでも、英語に接する機会が増える。

ここには現在の英語を取り巻く状況《じょうきょう》が絡《から》んでいる。いま世界中で英語を話す人はものすごく多い。ところが、決して流暢《りゅうちょう》じゃないし、ブロークンな英語だったりする。そうした英語はアジアンイングリッシュとか、ヒングリッシュ（インド英語）のように、その地域の頭文字とイングリッシュをミックスした造語で呼ぶこともある。

こういった英語を操《あやつ》る人口は、ネイティブスピーカーよりも圧倒《あっとう》的に多い。そして、そういう人たちは発音にも言い回しにも、特別なこだわりを持たない。意思の疎通《そつう》ができれば十分と思っているからだ。彼《かれ》らにとっても英語は便利な道具なのである。

取材者という観点からすると、道具として英語を操る人たちとの出会いは有益でもある。というのも、非英語圏で英語を操る人がいたら、その人は一定水準の教育を受けていたり、外国人と接することが多い。そのせいか、思想的にも比較《ひかく》的リベラルな印象がある。

そういう人たちをガイドとして雇《やと》うと私の取材に有益な情報をもたらしてくれることも珍しくない。だからこそ、非英語圏では、英語を話せるガイドなどを雇うようにしている。

さきほども述べたように、私はネイティブスピーカーではない。これまで、学校の授業と短期のフィリピン留学を何回かやったぐらい。さすがに、まったくしゃべれないということはないが、ものすごく流暢によどみなく話せるかと問われると、「ごめんなさい」と謝ってしまう程度の英語力しか有していない。

「そんな英語力で仕事して大丈夫《だいじょうぶ》なの？」

そんな突《つ》っ込《こ》みが聞こえてきそうだが、実はそんなに困ったことはない。まず、予算があればガイド以外に通訳を雇う。とはいえ、潤沢《じゅんたく》な予算がある取材ばかりではないので、フリーランスのジャーナリストとしては、当然のことながら、自分で英語を話して取材することが増えてくる。

実際に私が書いている文章を読んでいただけるとわかるのだが、取材の様子は、基本的には短文の質問の繰《く》り返しである。あまりにも細かい質問が続くときには、仕方なく編集して読みやすくまとめることもあるが、大抵はそのまま掲載《けいさい》している（わりと複雑な会話をしているときは通訳がいると思って欲しい）。

よく、海外取材をしている人が現地の人と文学的な修飾語満載《しゅうしょくごまんさい》のやりとりをしている文章を見ることがあるが、少なくともスラム街の住人や、非英語圏の人々が、そんな文学的な発言ができるとは思えない。会話とは相手があって成立するものなので、こちらが英語ができればいいというものでもないのだ。

また、私の取材対象は、もっとシビアな連中を相手にすることも多いので、会話が成り立ちさえすればいいというだけではない。ギャングやマフィアなど裏社会の人間であったり、犯罪者や薬物中毒のこともある。そんな連中と接する際は、もっと必要なものがある。それが会話の瞬発力。私にとっての英語を「瞬発力を伴う道具」と冒頭《ぼうとう》で定義したやつである。なぜ瞬発力なのか。それは、突然《とつぜん》シビアな展開に巻き込まれることがあるからだ。緊張感の程度を伝えるためにイメージしてほしいのは、お互《たが》いの眉間《みけん》に銃を向けて、いつでも弾丸《だんがん》を発射できる状態にある、そんな感じだ。

大げさに思われるかもしれないが、裏社会における取材は、ある種の交渉《こうしょう》である。そして、交渉とは、そこに命を賭《か》けることもある。やりとりする言葉が弾丸のように強力な武器になることは珍しいことではない。

さて、舞台《ぶたい》をセブ島に戻《もど》そう。

幸運なことに何人目かの人の紹介で工房《こうぼう》にたどり着けた。

山中の民家の裏手にある掘《ほ》っ立て小屋。見た目には農機具の倉庫ぐらいの造りで、これが銃の密造工房とは誰《だれ》も思わないだろう。そんな場所を仕切るのは五十歳《さい》ぐらいの小柄《こがら》な男。この職人が銃を製造していた。ほかにも外国人の客が物珍しいのか、数名のチンピラ風の男たちがいた。

臆《おく》しても仕方ないので、銃マニアらしくテンションを高めてはしゃいでいると、男たちはどこか嬉《うれ》しそうにしていた。製造工程なんかを見せてもらい、なんとなくひと区切りついたところで、私もやや気が抜《ぬ》けていた。そこで不用意な言葉を漏《も》らしてしまったのだ。

"If I am a journalist and not a tourist?　What would you do?"（もし俺《おれ》がジャーナリストだったらどうする?）

軽い冗談《じょうだん》だった。それまでの和《なご》やかな空気からして、当然のように「馬鹿言うなよ～」的な盛り上がりがあると思っていた。ところが、私の発言を聞いた連中の動きがピタっと止まった。

"Kill you"（殺す）

一拍《いっぱく》置いて想像以上の返事がきた。その言葉はまさに弾丸のような威力《いりょく》を持っていた。

ここからは瞬発力が必要だった。いまとなっては冷静に当時の動きを分析《ぶんせき》することができるのだが、当時は反射的に私も自分の言葉を弾丸として撃《う》ち出した。

“Sorry, just joke”（冗談だよ）

“Joke?”（冗談か）

“Of course not. I'm just a tourist. I like Guns!!”（もちろん違うよ。俺はツーリストだよ。銃が大好きなんだ）

“I see. I think you are YAKUZA from Japan.”（そうか。日本のヤクザかと思ったよ）

そう言って職人のおっさんが笑った瞬間にこのバトルが終わったと感じた。このときは、どうにか事なきを得た感じだった。そこから先は、先程《ほど》のようにおどけて笑って乗り切ることができた。

あらためてこのときのやりとりを文字に起こすと、本当に大した会話ではない。むしろシンプルすぎる。それでもこの会話がなされた数秒間に命がかかっていた。

お互いに弾丸を確実に撃ち込み合っていたのだ。

結果的に上手《うま》くことが運んだ理由としては、お互いに英語のネイティブスピーカーではないことがある。つまり、私の拙《つたな》い英語と向こうの英語力の振《ふ》り幅《はば》が一致《いっち》していたのだ。

母語が異なるもの同士でも、意思の疎通《そつう》ができるのは英語があるから。それと同時に、あまり複雑な言い回しをすることもないし、むしろシンプルな言葉選びで、リズムを崩《くず》さないのがこのときは正解だったと思う。

それと、やはりこの現場で必要だったのは状況に対応する瞬発力だった。会話の流れを読み、こちらの不用意な言葉で生まれた疑念を払拭《ふっしょく》するための、相手がなんとなくでも納得できる落とし所を用意することだ。

こうした会話力は、英語を勉強すれば自然と鍛《きた》えられるかといえば否《いな》である。母語で思考する鍛錬《たんれん》なしでは身につかない。それは思考する部分の能力だからだ。知識として英単語や熟語、こなれた言い回しを覚えても、結局は使う人のベースとなる能力が重要なのだ。

これからも私は道具としての英語を、それも瞬発力を伴う形で使っていくことだろう。とはいえ、これから英語を学んでいく人は、別に私のようなやり方をとる必要はない。あくまでそんなやり方もあるんだな、ぐらいに思っていただけたら幸いである。

Hiya!《ハイヤ》

丸山ゴンザレス

Maruyama Gonzales

一九七七年、宮城県出身。考古学者崩れのジャーナリスト。國學院大學大学院修了。出版社勤務を経て独立。現在は世界各地で危険地帯や裏社会の取材を続ける。國學院大學学術資料センター共同研究員。著作に『GONZALES IN NEW YORK』（イースト・プレス）、『世界の危険思想——悪いやつらの頭の中』（光文社新書）など多数。

2

プナン語

狩猟《しゅりょう》採集民の言葉を学ぶ

立教大学教授
奥野《おくの》克巳《かつみ》

長期にわたって現地に滞在《たいざい》し、フィールドワーク（野外調査）を行なうのが、文化人類学のユニークな調査研究手法である。一九九〇年代半ばに私は、インドネシア領のカリマンタン島（ボルネオ島）奥地《おくち》の焼畑稲作《いなさく》民の村に二年間住みこんでフィールドワークをしたことがあった。その直後から、マレーシア領のボルネオ島に暮らすプナンという狩猟採集民がどんな暮らしをしているのか、実際に見てみたい、知りたいとつねづね思うようになった。その後、二〇〇六年四月から一年間の機会を得て私が住みこんだのは、マレーシア・サラワク州のブラガ川沿いの熱帯雨林に住む、あるプナンの共同体だった。

フィールドワークでは、現地で人々と寝食《しんしょく》をともにし、時には一緒《いっしょ》に働いて汗《あせ》をかきながら、暮らしのど真ん中で人々のあれこれをつかみとろうとする。そのために何よりも大事なのが、その場所で人々に話されている言葉を学ぶことである。通訳を介《かい》してインタヴューしたりデータを集めたりするのではなく、現地の言語を用いてダイレクトに意思疎《そ》通《つう》し、人々の活動や会話に加わって、観察と記録を重ね、現地の内側から人々の考えややり方を理解しようとする。

プナンは文字がない、いわゆる無文字社会である。プナン語の文法書や辞書はなかった。語《ご》彙《い》集のようなものは一部が学術雑誌に掲載《けいさい》されていたが、表記法も統一されておらず、間《ま》違《ちが》いがたくさんあった。プナン語習得への近道は、現地に行って、真っただ中で学ぶことであった。幸い、私はマレーシア語ができたし、プナンにもそれができる人がいたので、マレーシア語を介して現地でプナン語を習得しようと現地に乗り込《こ》んだ。

当初は、人々がプナン語で何を言っているのか皆目《かいもく》分からず、プナン語はただのノイズだった。母音には、ア・イ・ウ・エ・オに加えて、ウとエの中間音がある。「これは何？」は、カタカナ表記では「イノゥ・イトゥ」となる。私はいろんなモノであれ現象であれ、片《かた》っ端《ぱし》から指さして「イノゥ・イトゥ」と尋《たず》ねては聞いたことをノートに書きつけ、それらを確認するために他の人たちにも尋ねたりして、徐々《じょじょ》に語彙数を増やしていった。また、隣《となり》や近くで人々が話しているような時にはできる限りじっと耳を傾《かたむ》け、マレーシア語を用いて意味内容を聞き出して、プナン語を理解しようと努めた。そうこうしているうちに一、二ヶ月経《た》つと、言葉の切れ目がだんだんと分かってきた。難しかったのは、人の名前や場所の名前などの固有名詞だった。人々の話を横で聞いてその意味をつかむのに重要なことは、固有名詞を含《ふく》めた文脈の把握《はあく》だろうと思われる。

プナン語に関する失敗談から紹介《しょうかい》しよう。ナ・ニ・ヌ・ネ・ノとニャ・ニィ・ニュ・ニェ・ニョは音が違う。日本語では、ノロノロとニョロニョロでは音も意味も違う。そのうち、ニとニィの音の区別は日本人にとってはなかなか難しい。プナン語で「さっき」が「ニ」、「ペニス」が「ニィ」である。「シラン・ムリ・トォゥ（いつここに戻《もど》ってきたの）？」と尋ねられ、「ニ」と言うべきところ、私の発音はいつも「ニィ」になっていたらしく、しょっちゅうプナンに笑われた。

半年くらい経ったところで、人々が話している会話を肩越《かたご》しに、ある程度理解できるようになったように思う。ある時、男たちが土をいじりながら喋《しゃべ》っているのをぼんやりと聞いていると、それは、土の中を進んでいくと立派な御殿《ごてん》があって、そこには金持ちが暮らしていた…というような内容だった。面白そうだと思い、彼《かれ》らにもう一度話して欲しいと頼《たの》むと、それは「フンコロガシ」の民話だった。ずっと後になっても、プナンの会話には、それが人間の話なのか生きものの話なのかが分からないことが何度かあった。彼らは動物をたんに狩る対象《たいしょう》だとは見ていなかった。動物や虫たちにまつわるいろんな話や、動物が登場する民話もたくさんあった。プナンにとって、人間と生きものの距離《きょり》はとても近い。

　滞在が八ヶ月から九ヶ月目になると、プナン語の会話にも、まだ十分ではなかったが、ついて行くことができるようになった。その頃《ころ》に気づいたのは、日本語にはあたり前に「ある」はずの単語や言い回しが、プナン語には「ない」ということだった。以下では、日本語にはあるがプナン語にはない語や表現と、そこから考えられることなどについて書いてみたい。

　プナン語には「川」という語彙がない。それは「水」と区別されない。川は上流から流れて下流へ、その後大きな川に合流し、やがて流れ流れて海に注ぐと私たちは考える。しかし、プナンは一本の水の流れとしての川をイメージしない。水とは別に川という普通《ふつう》名詞で呼ばれるものはプナン語にはないのだ。熱帯ではいつも雨が降る。大雨だと、水（川）の流れがよく変わる。私は日本語ふうにブラガ川やアレット川などと書くが、彼らにとっては、ブラガの水やアレットの水なのである。

プナン語には、もともとは「道」という語がなかったというのも驚《おどろ》きだった。近年では、伐採《ばっさい》した樹木の運搬《うんぱん》用に作られ、木材運搬車が通る道路のことを、マレー語ふうに「ジャラン」すなわち道と呼んでいる。しかし、プナンが暮らす森の中には、そもそも道などは存在しなかった。山刀でブッシュを切り裂《さ》いて歩いていくと、人の通った「跡《あと》」ができる。それは道ではなく、たんなる跡である。森ではすぐに樹木が繁茂《はんも》し、跡はまたたくまに消えてしまう。動物が通る跡もすぐに植物に覆《おお》われてしまう。けもの道という言い方も概念《がいねん》も、見当たらない。

次に、方位がない話をしよう。北・南、東・西、東北、東南、西南、西北…という語がない、概念がない。方位を用いて空間を認識しないと言ってもいい。彼らは森の中で「山」と「川（水の流れ）」という水平方向の目標物、その「上」と「下」という垂直方向の指標を組み合わせて位置を確認する。数人のプナンと車で森から五時間ほど離《はな》れた町に泊《と》まりに出かけた時のことである。町には大きな道路が三本並行に走っていた。別々に分かれて買い物に出かける前に、宿泊先のホテルが三本の道路の真ん中の道筋のちょうど真ん中にある…と私が説明しだすと、彼らは口々にその言い方では分からないと返してきた。直後、川はあるか、それはどちらから流れているのかと訊《き》いてきた。全員で、三本の道路と並行に流れている川を見に行った。水の流れを確かめてから、私たちは別れた。

　また驚くべきことに、プナン語には「薬指」にあたる語がない。指はもちろん五本あるが、薬指を除く四本の指にしか名前がない。中国語では薬指を「無名指」と言う。薬指には、名前がなかったのだろう。他の指に名前があるのに名前のない指があるのは不自然なので、そんな名前を付けたのだろうか。しかしプナンは、名前がない指にわざわざ名前を付けることはなかった。なんとも呼ばないで、これまでやってきた。それでも、何ら不都合はない。

　最後に、プナン語には、世界中の言語が持っているだろうと思われる「ありがとう」という言葉がない。外来の商人や役人などとのやり取りでは、マレーシア語の「テリマ・カシ（ありがとう）」を使うことがないわけではない。だがプナンどうしでは、その言葉を使うことはない。プナン語には、私たちであれば「ありがとう」と言う場面で用いられることがあるが、めったに使われない「ジアン・クネップ（いい心がけ）」という言葉がある。それは、何かを分け与《あた》えてくれた「相手」に対する感謝の表現ではない。プナンにとって最も重要な社会規範《きはん》に、「ケチはダメ」というのがある。プナンは、誰《だれ》かが寛大《かんだい》な心で、モノを分け与えてくれる態度を「いい心がけ」だと評するのだ。「いい心がけ」とは気前よくモノを分け与えてくれた態度を褒《ほ》めるための言葉である。

さて、言葉を学ぶとは、たんに言葉を学ぶことではない。言葉の背景にある文化を知ることに直結している。プナン語には、日本語に「ある」し、どこでもそう「ある」だろうと思っていた語彙や言い回しが「ない」ことに、私は大いにたじろぎ、欠落感を抱《かか》え、戸惑《とまど》った。それは、たんに「ない」のだと思うだけで放っておけるような事態ではなく、何やら不穏《ふおん》で火急の事態なのであった。そして、そのことは、思索《しさく》を巡《めぐ》らせ、世界を知るための重要な機会になるのだ。

奥野克巳 Okuno Katsumi

立教大学異文化コミュニケーション学部教授。一九六二年滋賀県生まれ。大学在学中にメキシコ・シエラマドレ山中の先住民テペワノの村を単独訪問し、バングラデシュで上座部（じょうざぶ）仏教の僧になり、インドネシアの島々を一年間放浪後、大学院で文化人類学を専攻し、シャーマニズムと呪術の研究を行なう。著書に『ありがとうもごめんなさいもいらない森の民と暮らして人類学者が考えたこと』、共監訳書にエドゥアルド・コーン『森は考える』など。

プナン語はこんな言葉

オーストロネシア語族ボルネオ語群に属する言語で、文字を持たない。プナンは、人が死ぬと死者の名を呼んではならないとされる一方で、近親者たちは死者との関係で決められた名で呼ばれる習慣がある。死を契機《けいき》として、戒名《かいみょう》や法名《ほうみょう》のように死者に名を付けるのではなく、生者に「喪名《もめい》」を付ける。ボルネオ島には季節性がなく、鳥の囀《さえず》りが果実の季節を告げるとされる。それは人間だけではなく、生きとし生けるもの全てに届けられると考えられている。一般《いっぱん》的な挨拶《あいさつ》はなく、代わりに「もう食べた？」「いつ帰ってきたの？」というやり取りが交わされる。

3

カンボジア語

新しい文字との出会いから

言語学者
上田《うえだ》広美《ひろみ》

ភាសាខ្មែរ

この文字を見て、どう思いますか。初めて訪《おとず》れた場所で、駅の表示や道案内やお店の看板が全部この文字だったら、やっぱり不安になりますよね（この文字は、ピアサー・クマエと読み、「カンボジア語」という意味です）。

私は、年に数回、全国の中学校か高校を訪問して、カンボジア語の紹介《しょうかい》をしています。その機会にいつも、日本語の五十音をカンボジアの文字に当てはめて書いてみた表を配り、「あなたの名前をカンボジアの文字で書いてみましょう」という時間をとることにしています。初めて出会った文字を書いた体験は印象に残るようで、その後しばらくクラス日誌をカンボジア文字で書くのが流行になって、担任の先生が困ったという話も聞いたことがあります。周りの人が読めない文字を書くのは暗号のようで楽しかったのかもしれません。

私たちがふだん日本語の文章を読んだり書いたりしていると、漢字とひらがなとカタカナとローマ字の四種類の文字を使います。また、ニュースなどでアラビア語の文字を目にすることもあります。

カンボジアの文字は、そういった文字とはまた別の「インド系の文字」というグループに属しています。インド系の文字は、カンボジア以外にも、東南アジアではタイやラオスやミャンマーでも使われています。それぞれの言語にあわせて形や細かい規則は違《ちが》っていますが、漢字のように意味を表す文字ではなく、ローマ字やカタカナと同じく音を表す文字であることは同じです。

カンボジアの文字は、日本語の文字とは見た目が大きく異なるためか、会話は早く身につけたいけれど、文字の読み書きは後回しにしたい、という人もいます。でもやはり文字が読めると、小説や漫画《まんが》を読んだり、街中の看板や標識を眺《なが》めたり、動画のコメ

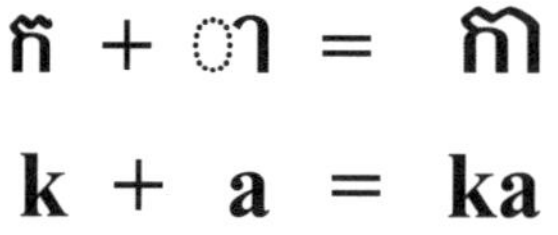

子音文字kに母音記号aが付いた組み合わせの例。
読み方は「カー」と長くのばします。

ントを見たりしてたくさんの情報を手にいれることができます。それに、新しい文字を知ることで、それまで自分が当たり前だと思っていたことがそうではないんだ、という発見もあります。

例えば、書き順の話です。文字を並べていく順番は、カンボジア語も日本語と同じく、左から右への横書きです。

違うところは、ひとつひとつの文字の縦線の部分の書き方で、日本語の文字は、上から下へ線を引きますが、カンボジアの文字は、逆に下から上に書くのが基本です。図の文字のように、上に飾《かざ》りがついている場合には、最後に飾りの部分を付けます。

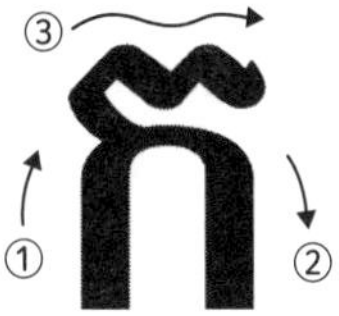

書き順の図

日本語の書き方に慣れていると、力の入れ具合が違うのか、紙にペンがひっかかるような気がして、つい上から下に線を引きたくなります。

そこで他の人がどうやって書いているのか観察してみると、紙やノートを九〇度回転させて、肘《ひじ》を前に突《つ》き出すようにして書く人がいるのに気がつきます。この方法で書いている人にきくと、この方が書きやすいというのですが、まるで縦書きのノートに下から上に文字がどんどん増えていくように見えて不思議です。

次に、文字の勉強のしかたの話です。日本語だとアイウエオから始めるとか、英語だとABCから歌って覚えるとか、最初は文字表の並び順に勉強するものです。

カンボジア語の文字表でも、最初のいくつかの文字は、アイウエオやABCと同じような使い方をしていて、学校のクラス名を「一年A組」などと呼ぶときとか、試験の選択肢《せんたくし》を「次のアイウから選びなさい」とするときとか、順番に説明するときの項目《こうもく》をさすのに使われています。

ところが、この最初の四文字をひとつずつ声に出して読んでもらうと、日本語に慣れた耳には、「コー」にしか聞こえないのです。五番目の文字はかろうじて、鼻《び》濁音《だくおん》の「ゴー」に近く聞こえますが、最初の四文字は全く聞き分けることができません。

実は、この最初の四文字を表す音は、「コ」の最初の音を出すときに息を強く吐《は》き出すかどうか（31ページの図では、発音記号にhをつけるかどうかで区別して記しています）、そして「ー」と長くのばすときに音色がはっきりした響《ひび》きか、柔《やわ》らかい響きか（発音記号に上付き記号をつけるかどうかで区別して記しています）という組み合わせで四種類に発音しわけているのです。でも、残念ながら、カタカナでは、「コー」としか書き表すことができません。

ក	ខ	គ	ឃ	ង
kɔɔ	kʰɔɔ	kɔ̀ɔ	kʰɔ̀ɔ	ŋɔ̀ɔ
コー	コー	コー	コー	ゴー

文字表の最初の五文字
説明のために、上の図のカンボジア文字には、
発音記号とカタカナをつけました。

カンボジア人の先生と一緒《いっしょ》に勉強すると、やはりこの最初の文字から始めることになります。「じゃあ、後について発音してみてね」と言われ、「コー　コー　コー　コー」と何回一生懸命《けんめい》繰《く》り返しても、「違う、コーじゃなくてコー」とやり直しになって、合格させてもらえないまま時間がすぎていく絶望感は、私だけの思い出ではないはずです。

一通り文字の形や対応する音を覚えて、辞書をひきながら物語を読めるようになった後でも、名前の綴《つづ》りを教えてもらうときには、「虎《とら》（という単語に使う）のコーですか、蜂《はち》のコーですか」などと聞いて確認したくなるものです。

しかし、日常生活では、いつも文字をひとつひとつ読み上げるわけではなくて、文章の中で単語として使うので、もっと簡単に聞き分けられます。ですから、カンボジア語では、「ＡＢＣ」を聞き分けたり発音できないレベルでも、小説を読んだり、友だちとの会話を楽しめます。

「ＡＢＣ」と聞くと一番簡単な初歩の初歩という先入観がありますが、カンボジア語では、

逆に、そこを完璧《かんぺき》にすることにこだわらず、どんどん先に進む方が学習がはかどって自分の成長が実感できます。

今日は、文字の話を中心にしましたが、カンボジア語を学んでみると、文法や語彙《ごい》についても、いろいろな発見があります。例えば、「去年カンボジアに行った」の「去年」を文の先頭から最後に動かして語順を変えると意味も変わってしまう、とか、「いる」と「ある」にあたる単語が二つあるけれど、その使い分けは日本語とは違う、などです。

また、せっかく旅行や留学をしても、初めて会った人とはあまりおしゃべりしない土地柄《がら》だと、なかなか会話の実践《じっせん》もできませんが、カンボジアでは、相手が勉強を始めたばかりの初心者とわかっていても、どんどん話しかけてくれます。たとえ、自分が言いたいことがまだ思い通りにしゃべれなくても、耳を傾《かたむ》けて相槌《あいづち》をうっていると、リスニングの練習がたくさんできます。

何カ国語も話せるという人に会ったり、英語を一緒に勉強している人の発音がすごくきれいに聞こえると、なんだか外国語学習には向き不向きがあるように思えてちょっと自信がなくなります。でも、多分そうではなくて、人によって、この言語は覚えやすかったけれど、この言語はとっつきにくいといった、言語との相性もありそうです。カンボジア語のような文字が書けたらうれしいと思う人と、難しそうで敬遠したいと思う人がいるように、文法でも、単数形と複数形はきっちり形で区別する言語が明快で気分がいいという人と、そういった区別のための形を全部暗記するのが多すぎて大変という人もいます。

そういうわけで、今までに勉強してみた外国語があまり好きになれなくても、もしかしたら別の外国語には面白い発見があるかもしれません。そして、ローマ字以外の新しい文字にひとつ挑戦《ちょうせん》しておくと、そのあと、別の新しい文字に出会ったときの自信にもつながるのでお勧《すす》めです。みなさんに、外国語との素《す》敵《てき》なめぐり逢《あ》いがありますように。

上田広美 Ueda Hiromi

東京外国語大学大学院総合国際学研究院准教授。著書に『ニューエクスプレス カンボジア語』（白水社）、『カンボジア語読解と練習』（白水社）、『カンボジアを知るための62章　第2版』（明石書店）ほか。

カンボジア語はこんな言葉

カンボジア王国の主要構成民族、クメール族の言語であることからクメール語とも呼ばれる。系統としてはオーストロアジア語族の中のモン・クメール語族に属する。カンボジアの他にタイ東北部やベトナム南部やラオスにも話者がいる。基本語順はＳＶＯで、語形の変化はない。観光地としても有名なアンコール・ワットをはじめユネスコの世界遺産に登録されたアンコール遺《い》跡《せき》群がある。「アンコール」は「都市」、「ワット」は「寺院」という意味。

4

アムハラ語

ダンスのように体が覚える

文化人類学者
松村圭一郎《まつむらけいいちろう》

文化人類学は、これまで世界中の民族や地域を対象に研究をしてきた。その人類学者の最初の仕事が、現地で話されている言葉を学ぶことだ。通訳を使ったり、英語など通じやすい共通言語を用いたりする場合もないわけではない。でも、ふつうの人が使うその土地の言葉を話せるかどうかは、決定的な違《ちが》いを生む。話す言葉で相手との信頼《しんらい》関係も、入ってくる情報もがらっと変わる。見える世界がまったく違ってくるのだ。

私自身は、東アフリカのエチオピアという国に二〇年あまり関わってきた。最初にエチオピアに行ったのは、大学の三年生を終えたあとの一九九八年四月。指導教員がエチオピアの専門家だったことから、友人二人と大学を一年休学してはじめてのアフリカを経験した。

エチオピアに渡航《とこう》する前年、ちょうど大阪の国立民族学博物館に招聘《しょうへい》されていたエチオピア人の大学教授から現地でもっとも広く話されているアムハラ語を学ぶことができた。半年くらい京都から民博に通い、語学の授業を受けた。

飛行機を乗り継《つ》いでたどりついたエチオピアの首都アディスアベバ。匂《にお》いから、空気から、町や人の様子から、すべてが衝撃《しょうげき》的だった。でも、ちゃんと勉強したはずのアムハラ語が、まったく口から出てこない。挨拶《あいさつ》のフレーズすら、頭に残っていなかった。

町を歩いていると、若い兄ちゃんが英語で話しかけてくる。相手をしているうちに、昼ご飯をおごるはめになったり、お金をせびられたり……。エチオピアではふつうに英語が話せる人はとても少ない。英語ができるのは外国人観光客などに慣れた人ばかりだった。このままじゃだめだと一念発起した。

滞在《たいざい》していた安宿の前に、毎朝、靴磨《くつみが》きの少年たちがやってきた。彼《かれ》らに靴を磨いてもらいながら「これはアムハラ語でなんというの？」と聞き、それをメモして口に出す日々が続いた。少年たちは学校の先生の口ぶりをまねて「もう一度！」、「エクセレント（すばらしい）！」などと言いながら「先生」をやってくれた。外国人とコミュニケーションできることを彼ら自身も楽しんでくれたようだ。少年たちがいないときは、近くの喫茶《きっさ》店の暇《ひま》そうなウェイトレスの女の子に話しかけて、会話練習の相手をしてもらうこともあった。

朝、宿の従業員と挨拶を交し、レストランで何があるかを聞いて、食べたいものを告げる。知り合った若者と世間話をしたり、質問攻《ぜ》めを受けたり（「日本人はなに食べているんだ？」とか「おまえの宗教はなんだ？」とか）、とくり返すうちに、数週間で少しずつアムハラ語のフレーズが自然と口から出るようになった。

エチオピア人の先生から半年間も語学の授業を受けたのと何が違っていたのだろうか？

授業では、アムハラ語の文字ፊደል《フィダル》の読み方や発音を学んだ。ちょうど日本の小学校で「あいうえお」からはじめるのと同じだ（アムハラ語だとሀሁሂሃሄህሆ《ハフヒハヘヒホ》）。アムハラ語には母音が七つあって子音も多いので、ざっと二五〇くらいの文字がある。しかも同じ音なのに三種類の文字があるなど、覚えるだけで一苦労だった。そうやって学んだ文字は町の看板を読むときや食堂のメニューを見るとき、とても役に立った。でも「会話」には、違う学びの経験が必要だった。

会話は運動に近い。目で相手を見て、口や喉《のど》や舌を動かし、顔の筋肉や両手を動かす。話し言葉は、そうやって口や体を動かすことで身についていく。黒板やビデオを使って鉄棒の逆上がりのやり方をいくら学んでも上手にならないのと一緒《いっしょ》だ。

それに会話にはかならず「相手」がいる。だから、ひとりでやる運動というより、他の人と一緒に踊《おど》るダンスのようなものかもしれない。相手の言葉にリズムを合わせ、言葉を受けとり、言葉を返す。「そうなの？」「まじで？」「すごい！」。たいしたことを言わなくてもいい。それで十分スムーズに会話が進んでいる感じになる。きちんとした文法も、意味の通ったフレーズもいらない。それは日本語でも変わらない。

話したいと思う相手に言葉を投げかけ、言葉を受けとる。そのくり返しで、話し言葉が体にしみこんでいく。私の場合、靴磨きの少年たちや宿の従業員たちと冗談《じょうだん》を言い、たわいもない話ができるようになる喜びは大きかった。それが学ぶ意欲になる。そしていったん体が覚えると、もう忘れない。まさに「身につく」のだ。

日本では、何年間も学校で英語を学ぶ。でも、なかなか話せるようにならない。それは、会話のダンスを一緒に踊りたいと思う相手が目の前にいないからかもしれない。

私は仕事柄《がら》、英語の文献《ぶんけん》を読んだり、論文を書いたりする。覚えているアムハラ語の語彙《ごい》は、英語に比べて、たぶん一〇分の一以下、かなり少ないと思う。でも英語よりアムハラ語のほうが、すらすらと話せる。入り組んだ話をするには、語彙を増やすことも、文法を学ぶことも大切だけど、日常の意思疎《そ》通《つう》だけなら、単語の数や文法ではない。

アムハラ語を話すと、自分の性格まで変わる感じがする。それは、たくさんのエチオピア人と言葉を介《かい》してやりとりした動きやリズムが体に刻まれているからだ。土地の言葉を発するとき、そこで生きてきた人たちの息づかいが私の体をとおして再現される。

異なる言語を学ぶおもしろさは、別の自分と出会えることにある。心と体は一つの固定したものではない。複数の言葉を話すことで、ぼくらはいろんな体を出入りすることができるのだ。

松村圭一郎 Matsumura Keiichiro

一九七五年、熊本生まれ。文化人類学者。岡山大学文学部准教授。エチオピアの農村や中東の都市でフィールドワークを続け、富の所有と分配、貧困や開発援助、海外出稼ぎなどについて研究している。著書に『所有と分配の人類学』（世界思想社）、『基本の30冊　文化人類学』（人文書院）、『うしろめたさの人類学』（ミシマ社）、『これからの大学』（春秋社）、編著に『文化人類学の思考法』（世界思想社）。

ጤና《テナ》 ይስጥልኝ《イステリン》

アムハラ語はこんな言葉

東アフリカに位置する多民族・多言語国家エチオピア。アムハラ語は国内で話される言語の中でもっとも話者が多い。もともとアムハラ人の言語だったが、現在は民族を超《こ》えたやり取りにも用いられている。英語のアルファベットに相当する独自の文字「フィダル」を用い、七つの母音と二七の子音を持つ。最古の文献《ぶんけん》として一四世紀頃《ごろ》に書かれた詩が残されており、第二次世界大戦後は社会性の高い現代文学が多数生まれている。

5

ロシア語

外国語を学ぶことで、中学生の私が手に入れたものと、今の私の目の前に見える世界

国際協力コンサルタント
岡田《おかだ》環《たまき》

私が初めて強く「外国の言葉を学びたい」と思ったのは、十四歳《さい》のある夜でした。父に買ってもらった、流行のラジオカセットのダイヤルを気ままに弄《もてあそ》んでいて、モスクワ放送の日本向け中波放送をたまたま受信したことがきっかけでした。その頃《ころ》の私は、どこでもいいからもっと遠くへ、自分の知らない場所へ旅したいという渇望《かつぼう》を、いつも抱《かか》えていました。それは、その時置かれていた自分の状況《じょうきょう》（退屈《たいくつ》に思えた学校の授業や、友人関係の尽《つ》きない悩みなど）からの逃避《とうひ》であったと今は思います。しかし、その頃の私はまだ中学生、自分の力では、今いる場所からどこにも行けませんでした。代わりに私の情熱は、外の世界を「知ること」に向けられました。それは実際に、私の世界を大きく広げてくれる結果になりました。

当時「ソ連邦《れんぽう》」と聞くと、体制の異なる未知の遠い異国という印象しかなかった私ですが、そのモスクワからの放送は、市井《しせい》の人々の暮らしや日々のニュースを、より身近なものとして生き生きと伝えてくれました。そんな隣国《りんごく》の姿に魅了《みりょう》された私は、毎晩ラジオにかじりつくように聞き入りました。ある日、意を決して放送を受信した日時と場所、それに短く自分の感想をしたためて、初めてキリル文字で放送局の住所を書きポストに投函《とうかん》した日を、今でも覚えています。返信は、忘れた頃にやってきました。ベリカード（放送の受信記録）に、クリスマスのカードとうつくしいたくさんの使用済み切手が添《そ》えられた、慎《つつ》ましくも温かな思いに満ちたその封筒《ふうとう》は、私にとって外の世界の象徴《しょうちょう》でした。それからの私は、ラジオの中で紹介《しょうかい》されたロシア語の歌を覚え、ロシアの作家の小説を読み、クリスマスカードに記されていた「新年おめでとう」のロシア語の語句《С《ス》 Новым《ノーヴィム》 Годом《ゴーダム》!》を何度も暗唱しました。それはなんだか秘密の呪文《じゅもん》のように響《ひび》きました。

それから、学校の英語の授業にも、より意欲を持って取り組めるようになりました。そんな頃、購読《こうどく》していた中学生向けの英字新聞の片隅《かたすみ》に、ペンフレンド募集《ぼしゅう》の広告を見つけました。そして、当時まだ社会主義国であったチェコスロバキアのプラハに住むという女の子に、初めて英語で手紙を書きました。同い年のその彼女《かのじょ》とは、大学に入る頃まで、文通が続きました。彼女との交友は、私にとって、ベルリンの壁崩壊《かべほうかい》や東欧《とうおう》諸国の民主化、ソ連邦の崩壊といったニュースを、ぐっと身近なこととして関心を持つきっかけともなりました。そしてそれ以上に、十代の多感な時期を共有した彼女とは、友人関係の悩みや、進路の迷い、恋愛の話など、いちばん遠くにいるけれど、いちばん親しい友達として、かけがえのないものを分かち合うことができました。私達の会話は、お互《たが》いの母語ではない「英語」を介《かい》していたのですが、私達の頭の中には、胸のうちには、まず「伝えたいこと」がたくさんあって、その情熱を燃料に、私は毎日、辞書を、文法の本を手繰《たぐ》りました。ある時、彼女がチェコ各地の民族衣装を、色鉛筆《えんぴつ》で丁寧《ていねい》に描《えが》いて送ってくれました。返信として私は日本の着物姿を描きました。そしてその絵に加えて、日本の和服文化の背景にある歴史を解説したいと思い、たくさんの本を読んだのを覚えています。そしてそれを英語で綴《つづ》ろうと拙《つたな》いながらも心を込《こ》めて努力しました。私達は「伝えたい思い」を相手に届けるために、言語を学ぶのです。

「伝えたい」という気持ちは、自分で学び、温め、育てることが肝要《かんよう》です。

学校を卒業し社会に出て、私は開発援助《えんじょ》の仕事を選びました。その経験の中で、遠くシルクロードのウズベキスタンという国で、学校を整備するお手伝いをしました。私にはまず、この国の子どもたちに、より良い環境《かんきょう》の中で学ぶことの楽しさを感じてもらいたいという強い思いがありました。そしてそのうちに、そんな「学ぶ楽しみ」をウズベキスタンの子どもたちと共有したいと願って、学校建設の支援《しえん》をした多くの日本の人々の思いも知ってもらいたい、日本という国にも興味を持ってもらいたい、と考えるようになりました。そのために多くの書物にあたり、資料を集めて調査をし、私達二つの国が、共に描く未来への希望について、一緒《いっしょ》に話し合える準備をしました。それから、この国の子どもたちと同じ目線で語り合うために、現地の言葉を学びました。機械の翻訳《ほんやく》も発達した昨今ですが、同じ時間を共有し、生の声で伝えられる思いは、深くこころに届くからです。ルワンダの孤児《こじ》院で、絵画を使った心理療法《りょうほう》をしていた時、中学生の女の子から、日本語で「ありがとう」と声をかけてもらったことがあります。それは彼女の「伝えたい思い」が実を結んだものでした。これまで全く知らなかった、日本語という言語を調べて、日本人の私のために声に出して“Arigato!”という言葉として届いたのです。それは、私の中では一生忘れない温かな思い出です。

そんな私達の「伝えたい思い」を交換《こうかん》する言語を複数学ぶことは、知ることの「窓」を幅《はば》広く開けることでもあります。例えば、皆《みな》さんの多くは、現在学校で英語を学んでいると思いますが、全世界で英語を話す人は現在およそ十五億人いると言われています。そのうち、母語として英語を使う人はわずか二〇パーセント強です。つまり、母語としてではなく「共通語」としての英語の役割がとても大きいのです。例えば、英語で書かれたものが読めると、あなたの情報源は格段に広くなります。また、英語で発信することで、より多くの人にあなたの考えや思いを伝えることができます。そしてその窓は、あなた自身で増やしてゆくことが出来るのです。中国語、フランス語、そしてあなたの隣人や友人が話している言葉で、語り合い、読み、聞き、学ぶことで広がるあなたの世界は、身体的な限界を超《こ》えて無限です。

今、私は、国際的な会合など世界各国から参加者が集まるような場所では、主に英語やロシア語など共通語としての汎用《はんよう》性が高い言語を使って、会話をしています。他の参加者の多くも、私と同じ様に自分の母語ではない言語を介して、より多くの人とコミュニケーションをとっています。この英語の役割が、数年のうちに機械翻訳に取って代わられるかもしれません。そうなると、もう外国語を学ぶ意義はなくなるのでしょうか。

私達にとって外国語は、「自分の伝えたい思い」を伝達する手段です。スピードを重視する分野の翻訳や通訳は、飛躍《ひやく》的に進歩している機械翻訳の技術が、私達の外国語学習能力を上回る日は来ると思います。ただ、例えば私は、どこの国に赴《おもむ》いても、感謝の気持ちや喜び、そしてちょっとした挨拶《あいさつ》などは、その土地の言葉で話すように努めています。あのルワンダの女の子が、「ありがとう」と日本語で言ってくれた時の、あの気持ちの温かさを思い出すからです。言語が伝える思いの力を、信じているからです。

大人になった私は、今アゼルバイジャンのバクーで暮らしています。この国ではアゼルバイジャン語が国語ですが、他にもロシア語や英語、トルコ語が多く使われていて、二、三ヶ国語を流暢《りゅうちょう》に操《あやつ》る人も多くいます。そんなひとり、通訳者の友人がある時、「どうしてもその言語でしか言い表せない翻訳できない言葉がある」と打ち明けた時、今まで私の中にあった靄《もや》が晴れたような気持ちがしました。

オランダの海辺の街に住んでいた頃、ある時友人が自分の気に入りの散歩道を案内してくれました。それは海辺の砂丘《さきゅう》の中の、うつくしい遊歩道でした。その時彼女は「ひとりで風に吹《ふ》かれながらここを歩いて頭を整理したりするんだ」と言ったのですが、それはオランダ語ではたった一つの単語“Uitwaaien《アウトワーイエン》”で表現することができるのです。他の言語には端的《たんてき》には翻訳し得ない、なんとも深みのある言葉です。

このように、言葉と文化は密接に結びついて互いに不可分です。言語を学ぶことは、そんな複数の世界観を、自分の中に獲得《かくとく》することです。私が外国語を学び始めたのは、まだ幼く自身の物理的な自由が限られていて、それでもなお、遠くの世界を見てみたかったからでした。そして大人になり、自由に住む国も話す言葉も選べる今、それでもまだ私が言語を学びたいと希求《ききゅう》するのは、自分の中にいくつもの「世界」を持ちたいからです。新しい窓を開けるかのように。

岡田環

Okada Tamaki

国際協力を専門に、世界各国を三〜五年ごとに移動する生活をかれこれ二十五年以上しています。これまで暮らした国は、日本と欧米をはじめ、アジア各国やシルクロードの国々、サハラ以南のアフリカなど世界のあちこち十一ヶ国。主な使用言語は、日・英・ロシア語。趣味は、辞書を読むことと、その土地の家庭料理を地元のお母さんから学ぶこと。食べ物に関してだけは何ヶ国語も分かる食いしん坊。現在はアゼルバイジャン在住。

6
おそロシくない
ロシア滞《たい》在《ざい》記
シベリカ子
はじめまして
シベリカ子と申します
突然《とつぜん》ですがみなさんは
ロシア語で知っている単語は
ありますか?
…プーチン?
Путин
…ボルシチ?
Борщ
あまり
馴染《なじ》みのない方も多いと思います
そんなロシア語を勉強する
きっかけになったのが
一年間
ロシアに住めバ
いいジャナイ
ロシア人の夫の
一言でした
元々ロシアには興味はなく
日常会話も日本語の私は
やだな
エーなんで!?
ロシアはそんなに
おそロシくない
所ダヨ!!
全くロシア語は話せません
でも一応夫の
故郷だし相手の
文化を知ることも
大事だよな
文化を知る
には言語を知る
必要もあるし

一年だけなら…
しぶ しぶ
ビザを取ったヨ!
ВИЗА
こうしてロシア第二の都市サンクトペテルブルクへ渡《わた》り
きれいな街だ〜
現地の語学学校に通うことになりました
とりあえず基礎《きそ》は一通り独学でやったし筆記体も覚えたし少しは自信ついたかな
ところが
授業はすべてロシア語で行われるためさっぱり聞き取れず
Тут надо стоит совершенный вид. Потому что...
? ?
リカ子、13番の答えは?
えっ えーと…
ヤーニパニマーユ…(わかりません…)
РУССКИЙ ЯЗЫК
どうしてわからないの? 昨日も教えたでしょう?
というようなことを言っている

生活の上でもロシア語が聞き取れない・話せないことで不便も多く
おなかで買いたいものが伝わらない
?
?
?
?
友達の集まりでも一人輪に入れず
すっかりホームシックになってしまったのでした
日本に帰りたいよう
アララ
…とはいえすぐに帰れるものではないし…
何か勉強が楽しくなる方法ないかな
あ
ネイティブがブログを添削《てんさく》してくれるサイトなんてあるんだ
ロシア語でブログを書いてみよう！
Меня завут Рикако Я изучаю
SNSでブログを始めることに
それがきっかけでロシア人の友達ができ
日本語を勉強してるロシア人
頻繁《ひんぱん》にブログ更新してるなあ
今日わたしは ロシアの有名な美術館へ
日本語の勉強を頑張《がんば》っている友達の姿に励《はげ》まされ
自分なりにロシア語の勉強を工夫して頑張ること数か月
単語帳を作って常に持ち歩く
興味あるネット記事を翻《ほん》訳《やく》

少しずつロシア語が上達し
コミュニケーションがとれるように
なってきたのでした
У меня есть дача.
Давай пойдём туда
в следующий раз!
(今度うちの別荘《べっそう》に行こうよ!)
Давай!
(行こう!)
あっ
今ほとんど
聞き取れた
あれがうちの
ダーチャ(別荘)
だよ
お〜
ロシアの食を楽しんだり
ダーチャでは
シャシリク
(ロシア風BBQ)
しないとね!
ジュ〜
フクースナ!
(おいしい!)
ラズベリーが
たくさん
なってる!
たくさん摘《つ》んで
ジャムにする
自然を楽しんだりしているうちに
意外と
おいしいものも
たくさんあるし
もう少し住んで
みてもいいかも
ボルシチ
おいしい
と思えるようになりました
しかし帰国すると
どんどん忘れてしまう
のが外国語の常
ロシア語の勉強は
一生続きそうです!

シベリカ子 Shiberikako

漫画家・イラストレーター。埼玉県出身。出版社へコミックエッセイを持ち込んだことがきっかけでデビュー。著書にロシアでの生活をロシア料理を中心に描いた『おいしいロシア』（イースト・プレス刊）がある。WEB、雑誌などでも連載漫画を執筆。ペンネームはロシア、コーカサス地方に咲く花「シベリカ」から。ツイッターアカウント→@ShibeRikako

ロシア語はこんな言葉

Здравствуйте!《ズドラーストヴィチェ》

ロシア連邦を中心に旧ソ連の国々で話されているスラヴ諸語の一つ。近い言語にウクライナ語、ベラルーシ語がある。九世紀、宣教師キュリロスがギリシア正教を広めるために作ったグラゴール文字が元となり、キリル文字が生まれたとされる。ドストエフスキー『カラマーゾフの兄弟』、マルシャーク『森は生きている』といった文学作品の他、独特なアクセントの強弱、リズミカルでなめらかな音の美しさでも知られるロシアオペラなど豊かな芸術文化が花開いた。

7

古典ギリシア語

言語にいたる右往左往、あるいは私はいかにして文法の威力《いりょく》を思い知ったか

文筆家
山本貴光《やまもとたかみつ》

1 どうしても読みたい

中学生のとき、英語の時間が好きではなかった。

先生がカセットデッキを持ってきて、テープに録音された英語の朗読音声を再生しては、生徒たちに復誦《ふくしょう》させる。当時はそういうやり方にどんな狙《ねら》いや意図があるのかもよく分かっていなかった。とりたてて必要も感じていないし、テストのためと仕方なしにやっていたようなものだ。

それは一九八〇年代のことで、まだスマートフォンもなければ、インターネットも一般《いっぱん》利

用されておらず、ようやくパーソナルコンピュータが物好きの間で使われるようになり始めた、そんな時代のことだ。日常的に英語に触《ふ》れる環境《かんきょう》ではなかった。

当時、ゲームに凝《こ》っていた私は、雑誌で『ダンジョンズ&ドラゴンズ』（D&D）というゲームがあることを知った。人間同士で遊ぶロールプレイングゲームと呼ばれるものだ。なんでもその遊び方を説明した本がアメリカで売られているという。後に翻訳《ほんやく》もされるのだが、その当時はまだ英語版しかなかった。でも気になる。読めるかどうかは二の次で、どうにかして自分の目で確かめてみたい。何語で書かれているかというよりも、内容に興味があったわけである。

それならすぐAmazonに注文しよう、というのは現在の話。当時はまだAmazonなど影《かげ》も形もない。どうするか。見よう見まねで英文の手紙を書いて、アメリカの書店に注文したのだと思う。それから待つこと数カ月、船便で『D&D』と上級版の『Advanced Dungeons & Dragons』のルールブックが五、六冊、段ボール箱に入って届いた。インクだろうか、紙だろうか、少しつんとするような薬品っぽい匂《にお》いが箱から立ちこめる。

そこからである。それまであまり真剣《しんけん》に見ていなかった英文法の参考書と辞書を脇《わき》に置いて、ルールブックの解読にとりかかったのは。とにかく何が書いてあるのかを知りたい。かつてない集中力で英文に目を注いだ。分からなければ、なにはともあれ辞書を引く引く引く。首っぴきとはこのことだ。というよりも、そもそも単語もイディオムもあまり頭に入っていないものだから、つべこべ言わずに辞書を引く。おかげでこのとき、面倒《めんどう》がらずに辞書を引く癖《くせ》がついた。

　幸いなことに、なんとかかんとか読むには読めた。というのも、それまでいろいろなゲームで遊んでいたのに加えて、『D&D』が舞台とする中世ヨーロッパ風ファンタジー世界の元ネタに親しんでいたのが大きい。J・R・R・トールキンの『指輪物語』をはじめとする幻《げん》想《そう》文学である。それまで楽しみのためにやっていた遊びや読書がそんなふうに役立ってしまったことに驚《おどろ》いた。このとき、英文を読むには背景や文脈を知っているとよいということが身にしみた。

　それよりなにより「これを読みたい」という気持ちがあればこそ、語学もやる気になる。このささやかな発見があってから、異言語との接し方が変わった。以来今日に至るまで、私は知らない言語で書かれた本でも、内容が気になったらとりあえず買うことにしている。その言語の文法書と辞書を手に入れて、読みながら勉強すればよいのだから、と気楽に構えている。

ただし、『D&D』で英語読解に取り組んだときには気づいていなかったことがある。後から思えば文法の解釈《かいしゃく》が実に適当だった。言うなれば、構文を摑《つか》めていないのに意味は分かったと独り合点する雰囲気《ふんいき》読みである。おそらく誤読も山ほどしていたに違《ちが》いない。これは独学の限界でもある。

2　独学は難しい

大学生になって、手当たり次第《しだい》にいろいろな本を読むようになった。中でも気に入っていたのは古代ギリシアの哲学《てつがく》書。私には、なんでも起源に遡《さかのぼ》ってみたくなる癖があって、自然科学や現代思想のほうから出発して、元を辿《たど》っていったら古代ギリシアに行き着いたのだった。文系／理系という区別もない世界だ。

とりわけ好きなのはアリストテレス先生である。「アリストテレス全集」を見ると、巻ごとに動物、天文、自然、言語、論理、弁論、政治、倫理《りんり》、哲学といった多様な分野について書かれた本が並んでいて、それだけですでに楽しい。「人は生まれながらにして知ることを欲する」と言うご本人がそのお手本のようなものである。

この万学《ばんがく》の祖に惹《ひ》かれたのは、子供の頃《ころ》、図鑑《ずかん》が好きだったことにも関係しているかもしれない。しかし、いくら専門分化が進んでいなかった古代といっても、どうしたらこんなことができたのか。学生の時分は全集を買う程《ほど》のお金もなかったので、近所の図書館からしょっちゅう借りていた。


そうしてしばらく日本語に訳されたアリストテレスやプラトン、ソクラテス以前の人びとの本を読んでいると、どうも隔靴《かっか》掻痒《そうよう》というか、もどかしくなってくる。確かに日本語で読めるのはありがたい。それはそうなのだけれど、実際のところ彼《かれ》らはどんな言葉遣《づか》いをしていたのか、できたらその息づかいに触れたい。それには古典ギリシア語を読み解く必要がある。

その頃私は、下手の横好きでいろいろな言語の入門書や辞書を買っては、ろくすっぽ学びもしないまま積み上げていた。古典ギリシア語の本も数冊手にしたものの、最後まで勉強した試しはなかった。

その後、大学を卒業してゲーム会社に就職した際、最初にもらったボーナスで念願の「プラトン全集」や「アリストテレス全集」を手に入れた。そして読んでいるうちに、やっぱり原語でも読んでみたいと思った。幸い参考書ならある（埃《ほこり》をかぶっているけれど）。ただし私のことだから、独学ではまた三日坊主《ぼうず》で終わる。この頃には、ものを学ぼうと思ったら強制力が役に立つことを知っていた。締切《しめきり》のある仕事で必要に追われてなにかを学ぶという経験を重ねたせいかもしれない。

3　文法の威力を思い知る

では、古典ギリシア語を読めるようになるにはどうすればよいか。調べてみると、東京のお茶の水にあるアテネフランセに古典ギリシア語とラテン語のクラスがあるのが分かった。同校はフランス語の学校だが、フランス語とも関わりの浅からぬ古典語も教えていたのだった。これだ、というので申し込《こ》みにいった。

授業は毎週末。教科書はフランスの高校で使われている古典ギリシア語入門書で、授業の前に予習をしていく。つまり、教科書に載《の》っている古典ギリシア語のテキストを読み、訳文をつくって授業に臨《のぞ》む。これがなかなかの骨である。はじめの頃は、大袈裟《おおげさ》ではなく一文を読むのに半日くらいかかったこともあった。

まず、フランス語で書かれた古典ギリシア語文法の解説を読み解かねばならない。それからようやく古典ギリシア語のテキストにとりかかる。教科書には、手助けのために古典ギリシア語の単語の意味をフランス語で添《そ》えてある。しかしそのフランス語が分からない。仏和辞典を引く。古典ギリシア語と日本語の辞書（希和《きわ》辞典）も刊行されてはいるものの、なかなか高価で手が出なかった（後にこれもボーナスで買った。ボーナスさまさまである）。

どうするか。代わりに希英、希仏、希独など、ヨーロッパの各言語の辞書を使う。これは比較《ひかく》的手に入れやすかった。いまならネット上でもそうした辞書も使えるようになっている。なんのことはない、古典ギリシア語を習うつもりが、いくつかの異言語を相手にすることになったのだった。

先生にも恵《めぐ》まれた。毎回、とても自分では探し方も分からないような関連資料のコピーを配って解説をしてくださった。「私は古典ギリシア語を学び始めてまだ二十云《うん》年なので……」とおっしゃるのが口癖《くちぐせ》で、謙虚《けんきょ》な話しぶりにユーモアを交えながら、学ぶ人を鼓舞《こぶ》する授業に魅了《みりょう》されて五年ほど通っただろうか。私はそこではじめて文法の重要性を痛感した。

本当に痛いほど。

少しだけ具体に見てみよう。古典ギリシア語では、名詞一つをとっても、性（男性・女性・中性）、数（単数・複数・双数《そうすう》）、格（主格・呼格・対格・属格・与格《よかく》）によって形が変わる。詳細《しょうさい》は省くけれど、動詞も複数の要素に応じた活用形がある。そして名詞や動詞については、そのうちの特定の形だけが辞書の見出し語になっている。だから、文中に現れた見知らぬ単語を辞書で引こうと思ったら、いま目にしている語の辞書に載っている形を特定しなくてはならない。そう、辞書を引くのも一苦労なんである。

また、これが英語なら、平叙《へいじょ》文は「主語＋述語＋目的語（SVO）」というふうに語を並べる順にも規則がある。古典ギリシア語はこの点で少しゆるい。その代わり、先ほど見たように名詞や動詞の形が用法によって細かく変化するので、文のどこに置かれていても「これは主語の形」と分かるわけである。

そうしてなんとか訳した文をもって授業に出る。当てられて原文と自分の訳文を読み上げる。すると先生が不適切なところを指摘《してき》してくださる。コメントを聴《き》くたびハッとする。自分では読めたと思っていたのに、文法の理解が浅かったり、語の解釈が外れていたりして、詰《つ》めの甘《あま》さを思い知る。先生の話はときにフランス語やラテン語との比較に及《およ》ぶ。クラスにはサンスクリットやその他の言語を学んでいる人もいて、さらに多言語の話題に花が咲《さ》く。

　こうしたレッスンを繰《く》り返すうちに、いままでの言葉に対する向き合い方がいかにいい加減だったことかと、否応《いやおう》なく気づかされた。はじめからそのように勉強している人には当たり前の話に見えるかもしれない。私は随分《ずいぶん》と回り道をして、ようやく文法の重要性に気づいたのだった。

　それ以来、異言語に接する姿勢もガラリと変わった。なんとなくの雰囲気読みではなく、文法に照らしてどのように読めるかを疎《おろそ》かにしなくなった。そればかりか、おそらく日本語を見る目も変わっている。なにしろ時代も場所も経験も考えていることも違う他の誰《だれ》かの言葉だ。これをできるだけ適切に受け取ろうと思ったら、文法は彼我《ひが》を橋渡《わた》ししてくれる、なによりのガイドであり手がかりなのだ。

πάντες ἄνθρωποι τοῦ εἰδέναι ὀρέγονται φύσει《パンテス・アントローポイ・トゥ・エイデナイ・オレゴンタイ・ピュセイ》という、二千三百年前の異言語を「人は生まれながらにして知ることを欲する」と読めるのも、ひとえにそのおかげなのである。

こんなふうにして、言語とは、自分で独り合点するものというよりは、もうこの世にいない人たちも含《ふく》めたたくさんの他人たちとの共有物なのだということに思い至ったのであった。

以上

山本貴光
Yamamoto Takamitsu

一九七一年生まれ。文筆家、ゲーム作家。慶應義塾大学環境情報学部卒業。コーエーにてゲーム制作に従事後、フリーランス。現在はモブキャストゲームスとプロ契約中。金沢工業大学客員教授。好きなものはカステラ。著書に『文体の科学』（新潮社）、『「百学連環」を読む』（三省堂）、『文学問題（F＋f）＋』（幻戯書房）、『投壜通信』（本の雑誌社）、『脳がわかれば心がわかるか』（吉川浩満との共著／太田出版）など。

Χαῖρε!《カイレ》

古典ギリシア語はこんな言葉

古代ギリシア語のうち、古典期のアッティカ方言のこと。前四世紀頃にこの方言が標準的に使われ始め、古典ギリシア語と呼ばれるようになる。ヨーロッパ言語の多くに影響《えいきょう》を与《あた》え、「アイデア」「セオリー」「テクノロジー」など、現代の日本語の中にも古典ギリシア語由来の単語は数多くある。またアリストテレス、プラトンの他にも叙事詩『イリアス』『オデュッセイア』を残したホメロスをはじめ偉大《いだい》な作家が歴史に名を残している。

8

アカン語

あいづちと変身

文化人類学者
石井《いしい》美保《みほ》

私がなりわいとしている文化人類学は、「フィールド」と呼ばれる調査地に出かけてゆき、そこに長期間住みこんで、人びとの暮らしについて調査をするという学問だ。人びとの暮らしや考えていることを理解するためには、その土地の言葉ができなくてはならない。少なからぬ人類学者は、日本であらかじめ調査地の言語を勉強してから調査に出かけるのではなく、とりあえずフィールドに入り、そこで暮らしながら少しずつ言葉を学んでいく。私自身もそんな風にして、これまでタンザニアやガーナ、南インドで調査を行ってきた。

大学院の修士課程に在籍《ざいせき》していた頃《ころ》、同じく人類学者の卵としてモンゴル研究をしていた友人と、「日本で思わず現地語が出てきちゃうケース」について語りあったことがあった。

モンゴル語では、「ハッ」と息を吸い込《こ》むあいづちがあるらしく、彼女《かのじょ》は日本語で会話をしている最中にも、「思わず『ハッ』ってやっちゃうことがある」という。私も同じく、舌で口蓋《こうがい》を「タッ」と軽く打つあいづちがひょっこり出てしまうことがあった。驚《おどろ》いたときの「エイ！」といった間投詞も、現地語が「思わず出ちゃう」ケースに含《ふく》まれる。日本語で話しているにもかかわらず、なぜそんな表現が飛びだしてしまうのか。それは、それらが言語というよりも声、もっといえば身ぶりに近い表現であって、だからこそフィールドに滞在《たいざい》しているうちに、人類学者の身体に深く染《し》みこんで離《はな》れないものになるからではないだろうか。ある土地に暮らしながら言葉を学んでいくとき、言葉は常に声であり、身ぶりであり、やりとりの中にある。それをまるごと学んでいくことは、人びとの声音《こわね》や身ぶり、やりとりの作法を学ぶことだ。そのとき、「学ぶ」ことはまさに「まねる」ことであり、身体的な行為《こうい》にほかならない。だから長期の調査から戻《もど》って間もなく、頭では日本にいるとわかっていても、身体はまだフィールドの感覚のままであるとき、とっさに出てくる間投詞が現地語になってしまうのだろう。

　ところで、現在中学三年生の長女は目下、受験英語と格闘《かくとう》中である。文法を覚え、単語を覚え、英文和訳し、和文英訳し……と奮闘《ふんとう》している娘《むすめ》をみていると、「ああ、こういうの私もやったな」と懐《なつ》かしく思う一方で、自分が中学生だった頃と学習方法がほとんど変わっていないことに驚きもする。最近でこそ、読み書きだけではなく「聴《き》く・話す」能力も重要云々《うんぬん》といわれているが、それでも中学校で学ぶ英語は基本的に、頭で覚えて問題を解くという机上の教科であることには変わりがないらしい。それはさっき書いたような、ある言語を話している人たちと暮らし、必死にやりとりしながら、からだ全体を使ってその言葉を「まねる・学ぶ」方法とは対照的であるようにみえる。とにかくやりとりする、という無謀《むぼう》で野《や》蛮《ばん》な後者の方法では、「私が理解すること」よりも「お互《たが》いが了解《りょうかい》すること」、「頭でわかること」よりも「腑《ふ》に落ちること」の方が重要になる。そんなやりとりには、その場の状況《じょうきょう》、相手との関係性、言葉のリズムや話しだすタイミングなどのすべてが関わっている。それは言語の「学習」というよりも、相手との間に身体的・感覚的なかかわりをつくりだすことだ。

　ガーナの村に住んでいたころ、よく耳にするにもかかわらず、意味のわからない単語があった。ある日、近所の子どもと一緒《いっしょ》に幹線道路の端《はし》を歩いていたら、ミニバスが私たちの横スレスレを猛《もう》スピードで追い抜《ぬ》かしていき、肝《きも》を冷やしたことがあった。そのとき、その子がすかさずバスに向かって拳《こぶし》を振《ふ》り上げ「クワッシア！」と叫《さけ》んだのを見て、私は悟《さと》った。クワッシア＝「バカ」だったのか。

そんな風に、ある状況の中で発せられる言葉を、声音や身ぶりや表情といっしょに全身でまねて／学んでいるうちに、だんだんと自分の思考や独り言や夢の一部が現地語のそれになってくる。それは、単に語彙《ごい》が増えた、文法がわかってきた、という以上に、自分の身体感覚、ひいては身のまわりの世界や他者との関わり方が少しずつ変化していることを感じる段階だ。ある言語が「自分のものになっていく」という感覚をもつとき、同時に私はその言語の語彙や、リズムや、やりとりが生みだしつづける独特な世界の網《あみ》の目の中に少しずつ取りこまれている。

雪の多い土地で、雪を表現する語彙が豊富だというのは有名な話だけれど、私はガーナで暮らすうちに、さまざまな儀礼《ぎれい》や霊的《れいてき》存在に関する語彙の豊かさを知ることになった。私自身の研究テーマがそうした土着の宗教実践《じっせん》だということにもよるが、英語や日本語には簡単に翻訳《ほんやく》できない、豊かで多義的な語彙を学び、同時に儀礼や呪術《じゅじゅつ》の実践にふれるうちに、私はいつのまにか呪術師や精霊《せいれい》たちの住む世界を、現実そのものとして受けとめている自分に気づいた。ガーナの村で、「オボソン」と呼ばれる精霊について語りあうことは、外側からそうした「お話」の世界を観察することではなくて、精霊や呪術師が躍動《やくどう》している現実世界に全身で参入し、その世界を生きることでもある。それは、英文和訳のように、異文化の言葉や概念《がいねん》が自文化の言葉や概念にスムーズに置き換《か》えられることを前提とした言語の学習とは異なり、自分の身体感覚や世界認識そのものが揺《ゆ》らぎ、不安定化していくような経験だ。だから、人類学のフィールドワークは楽しくもあり、ときに非常に疲《つか》れる体験でもある。

人類学者のタラル・アサドは、「文化の翻訳」をテーマとした論文の中で次のように書いている。人類学者が調査地の言語を母国語に翻訳しようとするとき、彼／彼女は一組の文と文を対応させるような機械的な翻訳を行うのではない。あるいはまた、現地の人たちの語りが常に論理的にみえるように、都合のよい解釈《かいしゃく》を施《ほどこ》しているのでもない。むしろそれは、フィールドでの生活を通して異なる言語や思考のあり方を学び、それを自国の人びとに伝えようと試みる中で、人類学者自身の言語の新たな可能性が立ち現れてくるような翻訳なのである、と。

言葉は何よりもまず声であり、リズムであり、やりとりであるのだから、それを学ぶには全身で他者や世界と関わり、とっくみあわなくてはならない。その過程で、私は言語を自分のものにしていくと同時に、その語彙や身ぶり、リズムが織りなす世界に取りこまれていく。私の身体はそのとき、母国語と現地語を媒介《ばいかい》するものになる。現地語の世界に没入《ぼっにゅう》し、そこに生きる「私」に変身しながら、母国語でフィールドノートをつけるとき、そこには常に「没入（変身すること）」と「再帰（我に帰ること）」の往復運動がある。そんな風に没入と再帰をくりかえしていくうちに、自分自身がしだいに根底から変容してゆき、ついにはどちらが「我」で、どちらが「変身」なのかもわからなくなってくる。日本に戻って、日本人の学生としてふるまっているつもりでも、思わず口から飛びだす「ハッ」というあいづちとともに、長く暮らしたフィールドでの「私」がふいに蘇《よみがえ》ってくることがあるのだ。からだ全体を使って、身ぶりやリズム、やりとりとしての言葉を身につけることはだから、常に変わらない「この私」が異文化の言語を知り、理解し、習得する、といった一方的なプロセスではない。そうではなくて、それは変身の経験、別な世界に生きる「私」の生成であると同時に、その世界によって「私」が少しずつ知られ、のっとられていくような経験でもあるのだろう。

石井美保 Ishii Miho

京都大学人文科学研究所准教授。専門は文化人類学。タンザニア、ガーナ、南インドをフィールドとして、宗教実践や環境運動についての調査を行ってきた。主な著書に『精霊たちのフロンティア』（世界思想社）、『環世界の人類学』（京都大学学術出版会）、『めぐりながれるものの人類学』（青土社）、共編著に『文化人類学の思考法』（世界思想社）などがある。

Eti《エティ》 sen《セン》?

アカン語はこんな言葉

多民族・多言語国家のガーナで最も話者数の多い言語。一九七五年にローマ字を基《もと》にした標準文字体系が作られた。語順はSVO型。アカン族の子供には“Afua（金曜日生まれの女の子）”“Kwadwo（月曜日生まれの男の子）”のように、生まれた曜日を示す名前がつけられることが多い。声の調子（高さ、低さ等）によって言葉の意味が変わる特徴《とくちょう》がある。またアカン族は、通常の文字の他に観念や格言などを表すアディンクラ表意文字を持っている。

神霊の社に向かって領主と楽師たちはあぜ道をゆく。（インド、カルナータカ州ペラール村）

9

スペイン語

僕《ぼく》のスペイン武者修行

セララバアドシェフ
橋本宏一《はしもとこういち》

「世界一予約が取れないレストラン」と呼ばれたスペインの三ツ星レストランEl Bulli《エル・ブジ》のことを知ったのは、いつも目を通していたカルチャー雑誌だった。その時僕は二十八歳《さい》で、石《いし》垣《がき》島のリゾートホテルの料理人として働いていた。

インターネットはあったけれど、回線も遅《おそ》く、ホームページを持っていないレストランも多かった一九九〇年代、情報はもっぱら本屋さんで手に入れた。

本州より数日遅れて届いた雑誌を広げると、エル・ブジが供する一人前のコース料理が紙面を埋《う》め尽《つ》くしていた。とても一人では食べきれないような品数、見たことのない盛り付けや色合い。亜《あ》酸化《さんか》窒素《ちっそ》で食材を泡状《あわじょう》にするエスプーマという調理器具にも衝撃《しょうげき》を受けたし、料理を考えるためだけにアトリエがあるというのも驚《おどろ》きだった。

その日以来、エル・ブジのことが頭から離《はな》れなくなった。料理学校を卒業してホテルの調理場で働いた後、二十五歳で石垣島に来た僕は、島の生活が長くなっていたこともあり、この先の進路を思いあぐねていた。

そんなある日、エル・ブジの料理長フェラン・アドリアが初来日し、講習会が開かれるというニュースを知り、幸運にも抽選《ちゅうせん》でその席を得た。

エル・ブジで働かせてほしいと、直《じか》談判してみよう。

世界中からエル・ブジには毎シーズン何千通という応募《おうぼ》がある。何年待ってもダメかもしれない。だけど僕は慌《あわ》てて手紙の文面を日本語で作ると、翻訳《ほんやく》ができる人をインターネットで調べて、スペイン語への翻訳を依頼《いらい》した。それがスペイン語との初めての接点だった。

講習会の会場は、自分と同じような若い人たちで賑《にぎ》わっていた。

講演後、フェランに直接手紙を渡《わた》した。もともと僕は知らない人に気やすく話しかけるタイプではないし、緊張《きんちょう》で身体がこわばって“Por《ポル》 favor《ファボール》.”（よろしくお願いします）すら口から出てこなかったけれど。

＊＊＊

石垣島に戻《もど》ってしばらくして、エル・ブジからメールが届いた。けれどそれは「応募期間中に連絡《れんらく》してほしい」というものだった。つれない返事ではあったけれど、彼に手紙を渡したことは、見切り発車とはいえ動き始めるきっかけになった。

スペインに行こう。現地に行けばチャンスがあるかもしれない。

翻訳してもらった手紙を手本に、スペイン中のミシュランの星付きの店とシェフの名前を調べて手紙を送った。その一つ、バスク地方のMartin Berasategui《マルティン・ベラサテギ》に受け入れが決まると、バルセロナにある語学学校の三ヶ月コースを申し込《こ》んだ。

日本出発の直前にわかったことだけれど、石垣島にスペイン語を話す南米出身の男の人がいた。最後の一週間、僕は彼にスペイン語の手ほどきを受けた。

しかしそのちょっとした学びの貯金は、語学学校初日の午前中にはあっけなく尽《つ》きてしまった。この先を暗示しているようだった。

もとよりスペイン語なんて、さっぱりわからない。試験も受けず自動的に一番下のクラスに振《ふ》り分けられた。最初の二、三ヶ月は、語学学校のクラスメイトの友達で、日本人学校に通うスペイン人の男の子とよくつるんでいた。毎回宿題はたっぷり出されたから、日本語とスペイン語、交換《こうかん》し合って仕上げたこともたびたびあった。今思えば、これは絶対に勧《すす》めない。

彼らとは、会話はスペイン語、日本語の半々でやり取りをしていた。

スペイン語の母音は日本語と同じa、e、i、o、uの五つで、発音がしやすいのは有り難《がた》かった。だけど一人称《にんしょう》、二人称、三人称と主語によって動詞の語尾《ごび》が変化する上、英語のように時制によっても変わる。「過去未来形」なんていう未知の時制もあるから本当なら青ざめてもおかしくないはずなのに、集まって宿題したり、一緒《いっしょ》に飲みに行くなかでスペイン語を話すこと自体に構えがなくなったのかもしれない。

七月からマルティンで働くことが決まっていたので、その前の一ヶ月はバルセロナの一つ星のレストランのドアを叩《たた》き、研修させて貰《もら》うことになった。そこではスタッフとして切りものや洗い物をした。

“Pica《ピカ》 unos《ウノス》 ajos《アホ》.”（ニンニクをつぶして）

“Saltea《サルテア》 a《ア》 fuego《フエゴ》 fuerte《フエルテ》 por《ポル》 tres《トレス》 minutos《ミヌートス》.”（強火で三分間炒《いた》めて）

というように、やり取りは全部スペイン語だった。でも料理の経験はあったから、盛り付けの仕方や器具の扱《あつか》い方は、誰《だれ》かが一度やって見せてくれたり、お手本があればなんとかなった。調理道具など料理に関するスペイン語はここのスタッフが教えてくれ、僕はポケットに入る小さいノートに料理用語をメモして覚えた。

調理している人の後ろを通る時、皿が熱い時、スムーズに全員の仕事が運ぶよう、ケガのないよう、厨房《ちゅうぼう》では料理人同士の独特なフレーズがある。「そんな言い方じゃ伝わらないよ。ハッキリ言わないと」なんて何度も注意された。

マルティン・ベラサテギに移って半年後、オーナーシェフのマルティンのはからいで、念願のエル・ブジで働くことが決まった。しつこく「エル・ブジに行きたい」と言い続けていた僕をフェランに紹介《しょうかい》してくれたのだ。三十三歳のことだった。

＊　＊　＊

夢にまで見たレストラン、エル・ブジは、思い描《えが》いた以上の場所だった。

バルセロナから車で二時間強、モンジョイ入江《いりえ》という少し辺鄙《へんぴ》な岬《みさき》にあった。営業は四月から十月までの半年間。残りの半年は、ラボと呼ばれる研究所で新メニューの開発を行うスタイルで、フェランの思想とテクニックが生んだ独創的な料理を体験しようと、世界中から人々が訪《おとず》れていた。厨房はフェランをトップとしてその下に総合シェフ、料理開発専門のシェフ、そして各チームの責任者となるシェフがいて、三十名ほどのスタッフで構成されていた。

国籍《こくせき》は実に多彩《たさい》だった。

“Vengo《ベンゴ》 de《デ》 Japon《ハポン》.”（日本から来ました）

“Me《メ》 llamo《ジャモ》 Kouichi《コウイチ》.”（私の名前は宏一です）

などと自己紹介のために、スペイン語のスピーチを何度か練習して初日に臨《のぞ》んだ。この時点で、僕のスペイン語といえば日常会話程度のものだった。だけど動詞の変形がなかなか覚えられず、話が盛り上がったり夢中になると、時制は現在形、動詞は原形で話し、あとは相手の理解力と想像力頼《だの》みなんてこともよくあった。

まかないはスタッフ全員が一緒に食べる。多国籍のせいか、スペインの気質なのか、多少言葉が間違《まちが》っていても厳しくなかった。

そんなふうに半年が過ぎ、帰国後はいくつかの店で料理長などに就《つ》き、エル・ブジで学んだ難しくて変わった料理や技術を日本でどう落とし込めるのか、試行錯誤《さくご》を経て僕は東京に自分の店をもった。

料理の場合、海外でそれを学ぶのに、語学力はどのくらい必要だろうか？

指示されたことだけやったり、パエリアやアロスネグロといった伝統的なスペイン料理を出す店で働くなら、僕みたいに中途半端《ちゅうとはんぱ》な語学力でもなんとかなるだろう。だけど毎シーズンすべての料理が入れ替《か》わり、新しさを追究するフェランの「料理で何ができるのか？」「なぜこれが新しいのか？」という哲学《てつがく》や発想のすみずみまで修得するには、動詞の原形で乗り切っていた僕の手には余りすぎたのが正直なところだ。

スペイン語をある程度マスターして行く選択肢《せんたくし》もあったけれど、僕は何の約束も取り付けないまま現地に渡《わた》った。

語学学校に通い始めて一ヶ月経《た》った頃《ころ》のことだ。バルセロナのメインストリート、ランブラス通りにあるボケリア市場で、エル・ブジの中心的な役割を務めるフェランの弟、アルベルトを見かけた。僕は慌ててその賑《にぎ》やかな人ごみをかき分け、バルにいた彼の隣《となり》の席に腰掛《こしか》けると、自分はエル・ブジで働きたくて日本から来たことを懸命《けんめい》に伝えた。でも僕のささやかな語学力では、アルベルトには届かなかった。

悔《くや》しかったけれど、がっかりはしなかった。彼らと偶然《ぐうぜん》出会える所まで自分が来たことを実感して、この先もチャンスがあるかも、と感じたことを、今回思い出した。

見切り発車でも、動いてみる。そこから歯車が回って行くことだってあるのかもしれない。

橋本宏一 Hashimoto Kouichi

一九七〇年、大阪府生まれ。調理師専門学校を卒業後、国内のホテルの料理人などを経て、スペインのエル・ブジ、マルティン・ベラサテギ等で修業を積む。帰国後はレストラン サンパウを経て、マンダリンオリエンタル東京／タパス モラキュラーバーで料理長を務める。二〇一五年、東京・代々木上原にセララバアドをオープン。物語性のあるモダンでクリエイティブな料理を生み出している。

¡Hola!《オラ》

スペイン語はこんな言葉

スペインと中南米諸国（ブラジルを除く）、計二十ヶ国では公用語として使われ、国際連合でも公用語の一つとなっている。インド－ヨーロッパ語族イタリック語派に属し、イタリア語やフランス語と同様にラテン語から発したロマンス諸語。その歴史は紀元前三世紀末からイベリア半島に侵入《しんにゅう》したローマ人のラテン語で、これが民衆の方言として定着。その後侵入したムーア人のアラビア語を駆逐《くちく》して、十五世紀末のスペイン王国の成立とともに標準語としての地位を確立したとされる。母音は五つで、日本語のアイウエオに近い。

10

チェコ語

パブロフの犬とチェコ語

翻訳家
阿部《あべ》賢一《けんいち》

「どうして、チェコ語を選んだの？」

これまでこの質問に何回答えてきたことだろう。百回、いや、もしかしたら数百回を超《こ》えているかもしれない。初めて会うひとの二人に一人は訊《たず》ねてくる。英語やフランス語を勉強している、翻訳《ほんやく》していると言っても、そこまでしつこく訊ねることはないだろう。とはいえ、疑問を抱《いだ》くのは、関心を持ちはじめる第一歩。私がチェコ語を学ぶようになったきっかけについてすこしお話したい。

さて、この質問に答えるには、やはり中学時代に戻《もど》らなければならない。その頃《ころ》、三つ上の姉の影響《えいきょう》もあってか、音楽は邦楽《ほうがく》よりもボン・ジョビとかデュラン・デュランとか洋楽ばかり聴《き》いていた。ちょうど、MTV全盛《ぜんせい》期の八〇年代なかば、日本でも「ベスト・ヒットUSA」とか「ピュア・ロック」といったビデオ・クリップを流す洋楽の専門番組が（当時は衛星放送もケーブル放送もないので、もちろん地上波の）テレビで放映されていた。親に何時まで起きているのと叱《しか》られても、英語の勉強だからと勝手な言い訳をして、夜遅《おそ》くまで音楽を聴いていた。

　高校で念願の軽音楽部に入ると、バイトとバンドの練習で日常の大半の時間は過ぎていった。正直、当時の成績は散々なものだったが、外国語には関心があったので、選択《せんたく》制の授業からドイツ語を第二外国語として履修《りしゅう》することにした。履修者は三名。同校出身の先生も無理に授業を進めようとはせず、手入れしているバラのこととか、お気に入りの歌手のマレーネ・ディートリッヒの話ばかりをしていた。それはちょうど一九八九年、つまり、東欧《とうおう》で大きな変動が起こった年だった。ある時、授業で騒動《そうどう》が続いているベルリンのことが話題にあがった。「いやあ、どう転んでも、ベルリンの壁《かべ》は崩《くず》れないと思いますね」と先生は言った。けれども、翌週、私がテレビで目にしたのは、ベルリンの壁に市民が登ってハンマーで壁を壊《こわ》している姿であり、歓喜《かんき》に溢《あふ》れて抱《だ》き合う東西ドイツの市民の姿だった。そう、ドイツ語の先生の予言は見事に外れたのだった。だがそれよりも、歴史は人々の想像よりも速い速度で動くことがあるのだ、と、当時、高校生だった私は強く感じた。

ちょうど同じ頃、図書委員のしごともしていた。本の貸出担当として、昼休みや放課後、交代で図書室の番をするのだ。まだ携帯《けいたい》もスマホもない時代のこと、時間を潰《つぶ》す相手は、目の前に大量に並べられた本しかなかった。ある時、手に取ったのが一冊の新書。千野栄一著『外国語上達法』（岩波新書、一九八六年）という黄色いカバーの薄《うす》い本。数ページ読み進めるうちに、「目から鱗《うろこ》が落ちる」ということわざは、こういうときに使うのかと思ったのを今でもはっきり憶《おぼ》えている。論旨《ろんし》は明快でありながらもユーモアがあり、そして読者がいちばん知りたいことを明確にしている。そればかりか、どこか知的関心を刺激《しげき》するところがある。そういう一冊だった。それからというもの、「千野栄一」という著者名の本を調べ、言語学、とりわけチェコ語の専門家であること、東京外国語大学で教鞭《きょうべん》を執《と》っていることを知った。それまで大学の専攻《せんこう》などぼんやりとしか考えていなかったが、その時、「やりたい」ことを見つけたような気がした。さらに偶然《ぐうぜん》が重なり、大学受験の準備をしている時に、東京外国語大学にロシヤ・東欧《とうおう》語学科が新設され、チェコ語とポーランド語専攻が開設されるという知らせが届いた。選択すべき道はその時決まった。

どうにか入試を終え、大学に入ると、そこで待っていたのは、千野先生のユーモア溢れる授業の日々だった。オリエンテーションの時、先生は言った。「みなさんはこれからチェコ語を勉強する。パブロフの犬のように『チェコ』という言葉を聞いただけですぐに反応するように、授業は月曜、水曜、金曜の一時限目に行ないます」。同級生たちと目を見合わせたのは言うまでもない。厳しかったとはいえ、こういった環境《かんきょう》で学べたことで、言葉の基本は身についたと思う。「小さい言語」を学ぼうとすると、辞書がなかったり、教材も限られていたりする（一度でいいので、大きな書店の外国語コーナーを覗《のぞ》いてみてください）。けれども、学ぶことのできる環境が限られている分だけ、教える側と教わる側の距離《きょり》が密になる。千野先生は教科書の十課を終えるたびに「ご褒美《ほうび》」にと、みずからコンパを企《き》画《かく》し、そういった折に授業の時とは異なる表情を見せ、チェコのビールのこと、読んだ本のこと、学生時代は酒が全然飲めなかったこと、留学していたプラハの話など、いろんな話を次から次へと披《ひ》露《ろう》してくださった。

　その後、プラハに留学し、授業の後でビアホールに通うようになって納得した。千野先生の話術はこういう場で磨《みが》かれたものだと。チェコのビアホールは、たいてい横に長いテーブルが置いてある。八人から十数人座れるほどの大きさだ。つまり、基本的に相席となる。「ここいいですか？」と一言断ってから飲み物を注文し、あたりを見回していると隣《となり》の人と目が合い、「どこから来たんだい？」とか、「今日は寒いな」とか話が始まる。あとはもう堰《せき》を切ったように話が始まってゆく。そう、留学した私はチェコ語の会話をプラハのビアホールで実践《じっせん》していったとも言える。もちろん、大学でもチェコ語の授業はあったが、ビアホールでいろんな人のいろんなチェコ語に触《ふ》れたことは大きな財産になったと思う。

　留学を終えて、チェコ語の通訳のバイトをしたことがある。二〇〇〇年、フランスでのサッカーW杯《はい》の前哨戦《ぜんしょうせん》のキリン・カップにチェコ代表が来日したのだ。通訳の経験はほとんどなかったので始まる前は緊張《きんちょう》していたが、会ってみるとスタッフや選手は皆《みな》、気さくな人たちばかりで、すぐに打ち解けた。とはいえ、移動や練習など、厳しいスケジュールの中、スタッフの人たちに会うたびに、私は「大丈夫《だいじょうぶ》ですか？　何か問題ないですか？」と口癖《くちぐせ》のように尋《たず》ねていた。その時、あるスタッフが私を呼び止めてこう言った。「阿部くん、問題はあるんだよ。そう、解決するためにね」。事前に問題をクリアーしておくことももちろん大事だが、逆に、問題が生じたとき、どれだけ迅速《じんそく》かつ柔軟《じゅうなん》に対応できるかの方が大事なんだ、だってほんとうの問題は事前にはわからないことだってあるだろ、とかれは教えてくれたのだ。納得した私はスタッフの言葉に頷《うなず》くばかりだった（このような柔軟さが功を奏したのか、チェコ代表はその年のキリン・カップで優勝を飾《かざ》った）。

私は今チェコ語を教えたり、翻訳をしたりしているが、今でも人と話したり、本を訳していると、この時のようにハッとすることがある。もちろん、日本語の環境でも、刺激を与《あた》えてくれる本や人もいる。けれども、外国語のフィルターを通してみると、その幅《はば》はとてつもなく広がる。まったく異なる環境で生まれ育った人たちがいるからだ。

今、自分が「パブロフの犬」になったかどうかはよくわからない。けれども、確信を持って言えることは、外国語を学ぶ前と後では「人間」が「犬」になるくらい世界が変わって見えるということ。そういう意味では、千野先生に出会えたこと、チェコ語に出会えたことに感謝してもしきれないほどだ。

阿部賢一 Abe Kenichi

一九七二年、東京生まれ。東京外国語大学、カレル大学、パリ第Ⅳ大学で学ぶ。チェコ文学の翻訳家。東京大学准教授。趣味は各地のビールを飲み比べること。著書に『複数形のプラハ』（人文書院）、訳書にフラバル『わたしは英国王に給仕した』、ベロヴァー『湖』（ともに河出書房新社）、オウジェドニーク『エウロペアナ　二〇世紀史概説』（共訳、白水社、第一回日本翻訳大賞受賞）など。

Dobrý den!《ドブリーデン》

チェコ語はこんな言葉

スロヴァキア語やポーランド語とともにインド・ヨーロッパ語族スラヴ語派西スラヴ語群に属し、話し手は約一千万人。スロヴァキア語とは文法や語彙《ごい》の面で非常に近い。語形変化が豊かであることから、世界的にも複雑な言語といわれる。ラテン文字の上に置かれ、発音の違いを示すチャールカ（´）やハーチェク（ˇ）が特徴《とくちょう》的。巻舌に摩擦《まさつ》の音を加えたřの発音は難しいことで知られ、音楽家ドヴォルザーク（Dvořák「ドヴォジャーク」）の名前にも使われている。「ロボット」という言葉は、チェコの作家カレル・チャペックの戯曲《ぎきょく》『ロボット』で初めて使われた。

11

オランダ語

Miffy《ミッフィー》よりNintje《ナインチェ》が好き！

翻訳家／通訳
鵜木《うのき》桂《かつら(けい)》

私には人よりもちょっとだけ得意なことが二つあります。一つ目はいつまでも、どこまでもひたすら走り続けられること。そしてもう一つはオランダ語を話せること。どちらもトップレベルではありませんが、二つが合わさるとそれなりの力を発揮します。

まず、私が携《たずさ》わっているオランダ語をご紹介《しょうかい》しましょう。

オランダ語はインド・ヨーロッパ語族の中の西ゲルマン語族に属しています。分かりやすく言うと英語とドイツ語を足して二で割ったような言葉です。主にオランダで使われていますが、ベルギーの上半分もオランダ語圏《けん》で（下半分はフランス語圏）、これはフラマン語と呼ばれています。オランダ語は、かつてオランダの統治下にあったスリナム、自治領であるアルバ、オランダ領アンティルでも公用語として使用されています。さらには南アフリカやナミビアなどで使われているアフリカーンス語はオランダ語から派生した言語で、一度映画で耳にしたことがあるのですが確かによく似ていました。第一言語として二千四百万人、さらに第二言語として八百万人がオランダ語を使うとのことで、実のところそこまで小さな言語ではありません。しかし周囲に英仏独という大国があるためか母語に対してネガティブ意識が強く、また歴史的に貿易国な上、陸続きで外国に繋《つな》がっているため語学に堪能《たんのう》な人も多く、オランダ人の多くは「外国人にオランダ語が話せるわけがない」と思っているようです。

私は二十代の半ばに「英語以外のマイナー言語を学びたい」と考え、語学学校でオランダ語を勉強するようになりました。私は皆《みな》さんと同じくらいの頃《ころ》にアメリカに住んでいて英語はある程度できたのですが、帰国後入った高校も大学も帰国子女ばかりで英語ができることはあまり珍《めずら》しくなかったのです。中には日本語より英語が得意な人もいたくらいで、「英語じゃ勝負できない」という思いは強かった。オランダ語を選んだのはミッフィー（ちなみにミッフィーはオランダ語ではNintje《ナインチェ》。これはオランダ語の「うさぎ」と「小さい」という意味を表す小辞詞というものを組み合わせています。日本デビュー時の「うさこちゃん」という名前はまさに名訳です）とチューリップ、そして当時「ガイア」という曲がヒットしていたヴァレンシアと言うオランダ人の歌手が好きだったから。極《きわ》めて単純な理由です。

　ある程度限界が見えていた英語と違《ちが》って、新しい言葉を学ぶことは楽しかったです。目に見えて進歩するのがわかるんですね。他の人がやっていない、ということが逆に原動力になって、取りつかれたかのようにオランダ、と名のつくものは片《かた》っ端《ぱし》から読んだり、観《み》に行ったりしました。週一回の授業では飽《あ》き足らず、他でも二ヶ所でオランダ語講座に通いました。マイナーなものってやっている人同士の仲間意識が強く、人間関係に恵《めぐ》まれたことも私がオランダ語を続けられた理由かと思います。それにオランダ好きと吹聴《ふいちょう》していると、自然と情報も集まってくるんですよ。

　ただ、日本でオランダ語の勉強を続けるのは困難でした。初級クラスは生徒が集まっても、その先が続かない。そもそも日本には日蘭《にちらん》辞書すら存在せず、オランダ語で文章を作りたい時は日本語↓英語↓オランダ語、と二段階で調べないといけないのですが、当時はネット翻《ほん》訳《やく》もまだそこまで発達していなかったのです。

　そこで現地でオランダ語を勉強しよう、と後先考えずに日本を飛び出したのが二十代の終わりのことでした。その時はこんなに長くオランダに住むとも、将来オランダ語の通訳や翻訳を仕事とすることも全く考えていませんでした。随分《ずいぶん》と思い切ったことをしたものです。オランダではライデン大学のオランダ学科に入ったのですが、週五日どっぷりオランダ語。日本で数年かけて学んだことがたったの三ヶ月程度で終わってしまい、とにかく必死でした。これといった勉強法はなく、ただひたすら机に向かっていました。一年の終わりには生徒は三分の一に激減。二年目に入ると飛び級して入ってきた秀才《しゅうさい》の中に入れられさらに辛《つら》い状《じょう》況《きょう》に。ただ、それなりの年齢《ねんれい》を経て、自分のお金で留学したこともあり、途中《とちゅう》で投げ出す気は全くなかったです。

さて、私のもう一つ得意なこと。それはマラソンより長い距離《きょり》を走るウルトラマラソンです。一般《いっぱん》的に有名なのは百キロですが、ウルトラの世界に限界はありません。距離で言えば二百キロとか四百キロとか走るレースもありますが、六時間、十二時間、二十四時間といった時間で区切る「時間走」というカテゴリーもあります。私は走るのは速くないのですが、持続力と忍耐《にんたい》力があるため長期戦になると強いのです。制限時間や関門がなく、継続《けいぞく》していれば結果が付いてくる時間走が特に得意で、二十四時間走のような長丁場となると、終盤《しゅうばん》次から次へと脱落《だつらく》していく男性ランナーを抜《ぬ》いていけるのも快感です。

そしてウルトラレースで活《い》きてくるのが語学力。ウルトラランナーは普通《ふつう》のマラソンのように息を切らして走るわけではないので、レースの間に色々と話をします。ランナー人口が少ないので、会場に行くと顔見知りも多く、仲間との会話も弾《はず》みます。私の場合、参加するレースの大半がオランダ国内であるため、オランダ語を話せるということは大きな利点となります。オランダ人は外国語が得意ですが、それでも母語で話せるというのは彼《かれ》らにとっても気が楽なんですね。小さなアジア人女子の私は世界一大きいと言われるオランダ人の中では逆に目立つので、オランダのウルトラ界ではちょっとした有名人。どこの大会に行っても気軽に声をかけられます。“Hoi《ホーイ》, Katie《ケイティ》! Hoe《フー》 is《イズ》 het《ヘット》?”（やあ、ケイティ！　調子はどう？）、で始まり、レース後表彰《ひょうしょう》台にのると“Gefeliciteerd《ヘフェリシティアード》!”（おめでとう！）、とずっとオランダ語で話しかけられるので、私にとってはウルトラレースは最高の語学トレーニングの場とも言えます。深夜すでに十時間以上走り続けている時などにオランダ語で会話するのは難儀《なんぎ》ですが、元気ももらえます。元々、私は単身でオランダのウルトラレースに飛び込んでいったのですが、今ではどこの大会に行っても顔が知られているので、寂《さび》しくありません。私はオランダ語でもウルトラランナーとしても超《ちょう》一流ではないですが、両方できる日本人は多分世界中で私ただ一人。それが私の強みであり、個性にもなっていると思います。

　さて、余談ですが、今年の夏、私は十四日間でオランダ国内九百キロ、一日平均六十四キロを走るというステージレースに参加しました。オランダ以外からもフランス、ドイツ、イギリス、イタリア、フィンランド、デンマーク、さらに遠くはアメリカ、台湾《たいわん》、日本からも参加者がいて、十四日間に渡《わた》ってみんなで家族のようにキャンプ生活を送りながらひたすら走り続けました。多《た》国籍《こくせき》だったので基本言語は英語でしたが、スタッフやボランティアは大半がオランダ人。英語漬《づ》け、オランダ語漬けの十四日間でした。ステージレースのランナーは日々生活を共にし、困ったことがあるとレース中でも互《たが》いに助け合うので仲間意識も強く、「じゃあ次はフランス、ドイツのレースで！」なんて言われると、「フランス語、ドイツ語も日常会話くらいできた方がいいかな？」などと考えている今日この頃です。

　色んな言葉を学ぶこと。それはあなたの世界を一挙に広げてくれます。英語が苦手な人にとっては逆にマイナー言語はチャンスだと思います。気になる言語があったら、是非《ぜひ》思い切ってその扉《とびら》を叩《たた》いてみて下さい。

Goededag!《フッデダッハ》

鵜木桂

Unoki Katsura/Kei

オランダ語翻訳者・通訳、ウルトラランナー。上智大学比較文化学部卒業。スポーツ新聞社勤務後渡蘭し、ライデン大学人文学部オランダ研究科（オランダ語、美術史）で学士、修士号取得。オランダ文学基金日蘭文芸翻訳コース修了。国際農業者交流協会、外務省、江川ラーニングセンターで語学講師も務める。二〇一四年の二十四時間走世界女子ランキング八十八位（188.977km）。ハーグ九時間走（二〇一五、一八年）、デーベンタール二十四時間走（二〇一八年）などで優勝。

12

英語

科学者にとってのサバイバル英語術

生物学者
渡辺佑基《わたなべゆうき》

すべては生き残るために

自然科学の世界において英語は既《すで》に「標準語」の地位を占《し》めていて、それは当分変わりそうにない。国際学会では英語で発表をしなければならないし、論文は英語で読んで英語で書くのが当たり前だ。だから科学者として生きていくためには、英語の「読む・書く・話す」を三点セットで身に付けなければならない。なるほど真に理想的なのは、ストックホルムでのノーベル賞授賞式が人生初の海外渡航《とこう》だった益川敏英《ますかわとしひで》先生のように、純粋《じゅんすい》に科学の成果だけで勝負することだが、ほとんどの人は益川先生のようにはなれない。私くらいのレベルの科学者は、海外の科学者と積極的に交流し、小さな論文をこつこつと書いて、学会で成果を宣伝しないと、存在感を示せない。そう、科学者にとっての英語は、ロープの結び方やナイフの使い方などと同じサバイバル技術の一つなのだ。

私は国立極地研究所という研究所に所属する海洋生物学者である。自慢《じまん》でも何でもないが、私は日本の標準的な家庭環境《かんきょう》、教育環境で育ったうえに海外留学の経験もないので、一般《いっぱん》的な意味での英語はさほど得意でない。発音はひどい日本語なまりだし、ハリウッドのアクション映画は字幕がないと何を言っているのかさっぱりわからない。それにもかかわらず、サバイバル技術としての英語は確かに身に付いていて、普段《ふだん》から英語でメールのやりとりをし、英語のテレビ会議に出て、英語で論文を読み書きしている。自分でも驚《おどろ》くのだけれど、映画の台詞《せりふ》が聞き取れない私が、英語を母語とする学生の書いた英文をチェックすることすらある。どういう経緯《けいい》を経て、こういう状況《じょうきょう》になったのか。読者の皆様《みなさま》の中には、科学の道を志している人もいるかもしれないから、ここでは私がどのようにサバイバル技術としての英語を身に付けたのか、過去の経験を語りたいと思う。

「聞く・話す」は定型に慣れる

私が英語の「洗礼」を初めて受けたのは、今から一六年前、大学院修士課程の折に参加した国際学会の場であった。能力はともかく態度だけは当時からでかかった私は、居並ぶ海外の大物科学者たちの前で物おじせず、アザラシの生態に関する自らの研究成果を生まれて初めて英語で発表した。ただ、発表といってもアドリブの要素はなく、多くの日本人学生がそうするように、事前に起こした台本を頭に叩《たた》き込《こ》み、それに沿ってしゃべっただけだ。だから発表自体は滞《とどこお》りなく済んだ。なんだ、いけるじゃないか、と正直思った。

　ところが、悪魔《あくま》が潜《ひそ》んでいたのはそれに引き続く質疑応答の時間だった。どんな質問がくるのかと壇上《だんじょう》で身構えていると、やおら一人のイギリス人科学者が右手を上げ、マイクを受け取ると、何やらぺらぺらとしゃべり始め、一分間くらいまくしたてた後にマイクをことりと机に置き、回答を求めるようにこちらの目を見た。呆然《ぼうぜん》。私には本当に「ぺらぺら」としか聞こえなかった。「Do you know~?」などの疑問形があったのか、なかったのか、何かコメントをしただけなのか、それすらもわからなかった。私はただポカンと立ち尽《つ》くし、変な空気が会場を包んだ。先輩《せんぱい》科学者が慌《あわ》てて駆《か》け寄り、日本語に訳してくれたので何とかその場は収まったものの、「本場」の英語が一言も聞き取れなかったのはショックだった。また、欧米《おうべい》の科学者は、相手が日本人であってもお構いなしに高速の英語を言い散らすことを、その時初めて知った。

学会の後、ショックから立ち直ろうと私はいろいろなことを試した。ロンドンのパブで交わされる会話が録音されているＣＤ（今から思えばなんてぼろい商売だろう！）を買ってきて聞いたり、英語学習に関する本を読み漁《あさ》ったりした。そんな中でいちばん長く続き、いちばん効果があった（と少なくとも私が信じている）のは、インターネットで英語のニュースを聞く学習法だ。英語のニュースサイトはとても充実《じゅうじつ》していて、好きなニュースを選んでクリックすると、それを自動で読み上げてくれる。非英語圏《けん》の視聴者向けに、ご丁寧《ていねい》にゆっくりとしゃべってくれるサイトまである。最終的に私は、「ＮＰＲ」というアメリカのメディアのニュースを熱心に聞いた。ニュースは面白《おもしろ》く聞けるから、勉強という感じがしなくて長続きするし、新しいニュースが日々アップされるので、素材に困ることはない。それにニュースの話法にはがっちりとした定型があるから、繰《く》り返し聞いているうちに耳がパターンに慣れてくる（この意味でも、パブの酔《よ》っぱらいのＣＤはひどいと思う）。そうこうするうちに、少なくとも科学に関する会話なら、大方聞き取れるようになってきた気がする。

「書く」はできる限りシンプルに

科学者の仕事の第一は論文を発表することだから、正しい英文の書き方を習得することは、

「読む・話す」よりもさらに大事である。思い返してみれば、大学院修士課程の折に書いた私の初めての論文はひどかった。自分としてはまともな英文を組み立てたつもりだったのに、共著者の一人であるアメリカのマイクにメールで送ったら、原形が残らないくらいにすっかり直されて返ってきた。その論文を実質的に書いたのは、私ではなくマイクということになる。

だから二作目の論文では「コピペ」を心がけた。正しい英文は自分では書けないのだという認識のもと、使えそうな英文の例を多数、文献《ぶんけん》から探し出してきて、それを組み合わせて一篇《いっぺん》の論文を作った。「コピペ」というと響《ひび》きが悪いけれど、それは楽をするための盗用《とうよう》ではなく、まるで写経のような、正しい書き方を体で覚える積極的な作業だった。実際、自ら英文を書くよりもずっと骨が折れたし、時間もかかった。

それと同時に、自分でも正しい英文が書けるようになりたいと願い、いろいろな本を読んだ。私の血となり肉となったと言えるのは、アメリカの言語学の教授であるRobert Day氏の書いた『Scientific English』という本だ。これは、シンプルでわかりやすい科学論文の英文の書き方を解説した本で、「過去形（was）と過去分詞形（has been）は意味が同じだから、語数の少ない過去形のほうがいい」とか、「名詞と動詞（たとえばinvestigationとinvestigate）

だったら、動詞のほうが文字数が少ないぶん偉《えら》い」とか、受験英語が染《し》みついた私には衝撃《しょうげき》的な内容が多数含《ふく》まれていた。しかもそれを、アメリカの言語学の教授が真面目な顔で説くのである。でも実際、その本に従って英文を書いてみると、シンプルで読みやすい英文ができあがったので驚いた。そんなふうにして私は「コピペ」の段階を抜《ぬ》け出し、自分の手で英文を書くことを覚えていった。

英語の宿命と私たちの未来

最近強く感じるのだけど、英語という言語には、できる限り簡潔に話され、簡潔に書かれなければならないという強い圧力がかかっている。科学雑誌の投稿《とうこう》規定を読むと、英文ははっきりと（clear）、簡潔（concise）に書きなさいと強調されているし、パソコンで英文を入力していると、複雑な文句には「もっと簡単に書けないか」とご丁寧な指摘《してき》が自動で入る。これは「世界語」たる英語の宿命なのだろう。非英語圏の人にもわかるように、難解な語彙《ごい》や複雑な構文を避《さ》けることが半ば強要されているのである。英語圏の人たちにしたら余計なお世話だろう。私だってもしも、構想力と語彙力とを駆使《くし》して書いた和文を小学生にも読めるように書き直せと言われたら、ひどく腹が立つ。

でも、英語におけるこの世界的な流れは、私たち日本人にとっては大きなチャンスだ。私たちに要求されているのは、ユーモアや語彙力や描写《びょうしゃ》力に富んだ面白い会話や文章ではなく、型にはまって短くて平易な、小学生にでもわかる会話や文章なのだ。そしてそれを身に付けることが、科学の世界におけるサバイバル英語術である。

渡辺佑基 Watanabe Yuuki

一九七八年岐阜県生まれ。国立極地研究所准教授。東京大学大学院農学生命科学研究科博士課程修了。野生動物に小型の記録計を取り付けるバイオロギングという手法を使って魚類、海鳥、海生哺乳類の生態を調べている。東京大学総長賞、山崎賞、若手科学者賞。著書に『ペンギンが教えてくれた物理のはなし』（第六八回毎日出版文化賞受賞、第六一回青少年読書感想文全国コンクール課題図書）、『進化の法則は北極のサメが知っていた』（ともに河出書房新社）がある。けん玉一級。

13

ノルウェー語

“Det《デ》 går《ゴール》 bra《ブラー》.”

翻訳家
佐《さ》脇《わき》千《ち》晴《はる》

気づけばノルウェーに暮らして十年以上の歳月《さいげつ》が過ぎていた。時折、遊びに来るリスやトナカイの親子に癒《いや》され、突如《とつじょ》現れる森の王様ヘラジカに驚《おどろ》き圧倒《あっとう》される。夏は生命力抜群《ばつぐん》の雑草に闘《たたか》いを挑《いど》み、冬は降り積もる雪との格闘《かくとう》にスコップをふるう。そして、一年を通して本と向き合う。まさか、自分が日本から遠く離《はな》れた地で生きていくことになるとは学生当時の私には想像も出来なかったのであるから、人生とは不思議なものである。

さて、突然ノルウェーの話をされてもさっぱりわからない人もいるであろうから、まずは簡単な紹介《しょうかい》から始めようか。

ノルウェーは北欧《ほくおう》にある小さな王国で、『アナと雪の女王』の舞台《ぶたい》となった国でもある。世界的に知られているノルウェー人と言えば、『叫《さけ》び』で有名なエドヴァルド・ムンクや作曲家のエドヴァルド・グリーグが挙げられる。若い世代では音楽プロデューサーのアラン・ウォーカーを知っている人がいるだろうか。

この国の人々はシャイで素朴《そぼく》な人ばかり。そして、日本人の私たちから見ると奇妙《きみょう》にも思える行動をする。夏の天気が良い日は少しでも日焼けをしようと試み、外食する時にはテラス席に座りたがる。色白よりもこんがりと焼けた肌《はだ》が人気があるのだ。移住して間もない頃《ころ》は、自宅のベランダから公園まで、ビキニ姿や上半身裸《はだか》のノルウェー人が日光浴を楽しむ姿に驚愕《きょうがく》したものである。

北欧の冬は長く厳しいが、国民的スポーツ、スキーの季節でもある。特にクロスカントリーが人気で、乳児を背負った若いママ・パパから、かなりのご高齢《こうれい》の方までスキーを楽しんでいる。我が家の子どもたちも冬にはスキーで登校することがある。太陽とスキーを愛する、やや控《ひか》えめなノルウェー人。彼《かれ》らはどんな言葉を話すのだろう。英語かな？　いえいえ、この国の公用語はノルウェー語なのだ。非英語圏《けん》の中では高い英語力を誇《ほこ》るノルウェー。英語だけでの生活に特に不便は感じないだろう。だが、本当の意味で彼らを理解するにはノルウエー語が話せたほうが良い。それに就学前の児童や一部の高齢者層は英語がわからないのである。

ノルウェーに移住する前、私は中学校で英語の教師をしていた。体育祭や部活動で生徒と一緒《いっしょ》に汗《あせ》を流し、合唱コンクールで感動して泣いた。手探りで必死にやってきたことが生徒の成長として見られたときの喜びといったら、何にも代えようがないものだ。「中学生の皆《みな》さん、先生たちも試行錯誤《さくご》しながら日々頑張《がんば》っているのですよ」とこの機会に声を大にして言いたい。教え導く中で、生徒からも大切なことを教えられた。勉強に限らず、スポーツでも音楽でも人間、何事も好きじゃなければ続けられないし、頑張れないものだ。「先生は英語が昔から好きだったの？　得意だったんでしょ？」と生徒に何度も聞かれたが、答えはノーである。中学時代は作家や国語の教員に憧《あこが》れており、英語に興味を持ち始めたのは高校生になってからである。当時は勉強だと思うから苦手だったのかもしれない。外国人の友達と話したい、洋楽の歌詞の意味を知りたい、ハリウッド俳優に英語で手紙を書いてみたいなど何らかの動機が必要なのだ。

さて、私であるが三十歳《さい》を目前にして、かねてから夢だった海外の大学へ入学することになった。教育水準の高い北欧に興味があったことや、現地日本人補習校で教員を募集《ぼしゅう》していたこともあり、ノルウェー語を選んだ。また、日本の大学で自由選択《せんたく》科目の一つとして履修《りしゅう》していた異文化コミュニケーションの授業が忘れられず、もっと深く学んでみたいと思い、オスロ大学社会学部の文化コミュニケーション学科への入学を希望したのである。

オスロ大学への入学は高校三年間＋大学一年間の成績と英語力で審査《しんさ》される。過去に英語圏への長期留学経験のある人は、その証明を提出すれば良いようだが、私の場合はそういった経験がなかった為《ため》、ＴＯＥＦＬのスコアを提出した。こうして、教員から再び学生へ戻《もど》ったのだ。

今思えば、ノルウェー語のアルファベットの読み方すら知らないのによく受験したものだと思うが、これも若さゆえ。英語がわかるし、大学でドイツ語を齧《かじ》ったので何とかなるだろうという安易な気持ちがなかったわけではない。が、それはレッスン初日で見事に打ち砕《くだ》かれることになる。

迎《むか》えたノルウェー語授業初日。厳しいと有名なマーリット先生のクラスが始まった。

“Jeg《ヤイ》 heter《ヘーテル》 Marit《マーリット》. Hva《ヴァ》 heter《ヘーテル》 du《ドゥ》? Hvor《ヴル》 kommer《コンメル》 du《ドゥ》 fra《フラー》?”

突然のノルウェー語。困惑《こんわく》する学生達。ヒソヒソと小声で英語を話す学生に対して先生が英語で一喝《いっかつ》！

「私の授業では母語と英語を使うことは禁止です。ノルウェー語しか話してはいけません」

「な……なんと！？」

かくして、私のノルウェー語習得に向けて奮闘《ふんとう》する日々が始まった。オスロ大学に無事に入学したものの、実は正規留学生には試練の一年間が存在する。オスロ大学の学部授業は一部の語学系科目を除いて、全てノルウェー語で行われる為、実際に学部の授業を受ける前にノルウェー語テストのレベル3に合格しなければならないのである。オスロ大学にはレベル1からレベル4までのノルウェー語クラスがある。オスロ大学のノルウェー語レベル3の試験に合格するか、同レベルの別試験（ベルゲンテスト）に合格することが学部の授業履修の条件なのである。試験に合格しなければ学生ビザも更新《こうしん》されない為、それはもう必死だった。平日はみっちりと朝からノルウェー語の授業。午後は宿題と予習に五〜六時間。一日中ノルウェー語漬《づ》け。

ノルウェー語を短期間で習得するために、授業以外の時にも英語は使わないと決めた。買い物から友人との会話まで拙《つたな》いノルウェー語で行い、ノルウェーの子ども番組を見て、児童書や子ども新聞を読んだ。ノルウェー語をひたすらインプットせよとの先生の言葉を信じ、地下鉄やバスに乗っている時には他の乗客のおしゃべりに耳を傾《かたむ》け耳を慣らした。文法の授業やワークブックでの学習も行ってはいたが、実際に身に付いたのはノルウェー語で毎日欠かさず日記を付けて先生に添削《てんさく》してもらったおかげだろう。幼い子どもが語学を身につける時のように、まずは聞き（インプットし）覚え、覚えたことを自分の言葉で表す（アウトプットする）ことを繰《く》り返したのである。一ヶ月、三ヶ月と経《た》つうちにノルウェー語への苦手意識が消えていった。一年も経つと日常生活を送るには支障がない程度のノルウェー語は身につけることが出来、それなりの自信も生まれていた。だが、この後誘《さそ》われた友人のパーティーで自信を喪失《そうしつ》する事件が起こるのである。

一年で習得出来たと思っていた私のノルウェー語はどうやら首都オスロ限定のものであったらしい。パーティーで知り合った某《ぼう》地方出身のノルウェー人が話している事が全くもって聞き取れないという事態が起こったのである。今、思い返してみれば彼女はただ「ノルウェー語を話せますか?」と聞いただけなのであるが、当時の私には、このたった一言が理解できなかったのだ。イントネーションどころか、使われる動詞、人称《にんしょう》、疑問詞が全くもって異なっているので非常に困惑した。

ノルウェーにはブークモールとニーノシュクという公用語が二つ存在している。さらに国民の九十パーセントが使用しているというブークモールにも様々な方言がある。聞きなれない地方の方言がわからない問題に対して、どのように対処すればよいのか。それは、もう慣れるしかないのだという。ちょうど、オスロの公立小学校で支援教諭《しえんきょうゆ》を募集《ぼしゅう》していたので働きながらリスニング力を鍛《きた》えることにした。北ノルウェー出身の上司の元で西ノルウェーや南ノルウェー出身の同僚《どうりょう》と働き、各地方言の違《ちが》い、発音、スラングを学んだ。

同じ頃、ノルウェーのドキュメンタリー番組の編集アシスタントに応募《おうぼ》し採用された。日本で取材したシーンを編集する為に、通訳と翻訳のできる人を探しているという。窓の無い薄《うす》暗い部屋で何十時間にも上る映像を見て、その場で通訳する。面白い部分だけを残して編集し、字幕部分の翻訳をする。作業は夜中まで行われることもあったが、編集のプロであるノルウェー人との仕事は充実《じゅうじつ》していた。おそらく、私はこの時に翻訳の面白さに気がついたのだ。

書籍翻訳の道に進んだきっかけは地方への引越《ひっこ》し。長年住んだ首都オスロを離れ、ノルウェーの森と湖に囲まれた小さな町に引越した。子どもたちに毎晩お休み前の読みきかせをしているとき、「ママ、これ日本語で読んで」とノルウェー語の絵本を持ってきたのだ。その場で適当に翻訳しながら読んでみたところ、これが大好評。タブーがないとも言われるノルウェーの児童書。これらが日本の子どもたちの元にも届いたらどんなに素敵《すてき》だろうと思って始めた仕事である。何の経験もコネクションもないのに無理だよという声もあった。けれど、人間やれるかやれないかは自分が決めることなのだ。自分に制限を設けてはいけない。人間、生きていく中で様々な壁《かべ》にぶつかり、悩《なや》み、落ち込《こ》み、もうダメだと諦《あきら》める。ダメだと決めているのは自分自身なのだ。もし、あなたが語学の勉強をしていて逃げ出したいような気持ちになったら、次の言葉を思い出して欲しい。

“Det《デ》 går《ゴール》 bra《ブラー》.”

これは「大丈夫《だいじょうぶ》。なんとかなるさ」という意味である。何かトラブルや心配事が発生した時にノルウェー人が本当によく使う言葉なのだ。

映像翻訳の仕事をしていた時、強い方言を話す高齢者の言葉が聞き取れなかったことがあった。日本語なのに、何度映像を巻き戻《もど》して聞いてもわからない。焦《あせ》る私に同僚がかけてくれた言葉が“Det《デ》 går《ゴール》 bra《ブラー》.”だった。この言葉は人を安心させ、前に進もうと思わせてくれる不思議な言葉である。

また、小学校に勤めていた頃、休み時間に児童が怪我《けが》をしたことがあった。学年の先生、保健の先生、怪我をした児童の保護者、そして怪我をした児童自身が何度も“Det《デ》 går《ゴール》 bra《ブラー》.”と言っていたことが今でも記憶《きおく》に残っている。

“Det《デ》 går《ゴール》 bra《ブラー》.”人生うまくいかない時もある。でも、大丈夫。自分を信じて進めば、きっとなんとかなるさ。

佐脇千晴
Sawaki Chiharu

一九七九年静岡県生まれ。ノルウェー語翻訳者。中学教諭を経て二〇〇八年ノルウェー国立オスロ大学正規留学。オスロ日本人補習授業校教師、オスロ市民大学日本語非常勤教師、オスロ市公立小学校勤務の傍らノルウェーのドキュメンタリー番組制作に携わる。二〇一八年より書籍翻訳の道へ。訳書に『3びきのヤギのブルーセ　プールでおおさわぎ』（三元社）、『あかちゃんはどうやってつくられるの？』（河出書房新社）がある。

God dag!《グダーグ》

ノルウェー語はこんな言葉

ノルウェー王国の公用語。インド・ヨーロッパ語族ゲルマン語派の北ゲルマン語族に属し、アイスランド語とともに西ノルド語群をなす。中世には独自の文学をもっていたが、ノルウェーがデンマークに併合《へいごう》されていた期間（一三八〇〜一八一四）はデンマーク語が標準語だった。独立後はこれを基盤《きばん》にしてノルウェー語式に発音、改訂《かいてい》された「ブークモール」と、古来のノルウェーの諸方言から作られた「ニーノシュク」二種類の書き言葉がある。現在は両方が国語として併用されている。

14

サーミ語

言語を学ぶということ

社会言語学者
吉田《よしだ》欣吾《きんご》

サーミ語のおもしろさ

大学を出て五年ほど経《た》ったころ、ちょっとしたきっかけで私はフィンランド語を学び始め、続いてサーミ語という言語を勉強し始めました。サーミ語はフィンランド語と同じくウラル語族というグループに属す言語ですので、二つは親戚《しんせき》の関係にあります（ハンガリー語やエストニア語もウラル語族の仲間です）。一方、英語、ドイツ語、フランス語、ロシア語、あるいはスウェーデン語などの北欧《ほくおう》の言語も含《ふく》め、ヨーロッパの大多数の言語はインド・ヨーロッパ語族というグループに属す親戚同士です。ですから、フィンランド語やサーミ語はヨーロッパではどちらかというと仲間外れの言語になります。

サーミ語はノルウェーとスウェーデンの中部からフィンランド北部を通り、さらにロシアのコラ半島に至る広い地域で話されてきた言語です。そのサーミ語は、親戚であるフィンランド語とは多くの特徴《とくちょう》を共有しています。その一つは動詞が人称《にんしょう》変化をすることです。動詞の人称変化というのは、主語が誰《だれ》なのかを示す印が動詞につくことだと思ってください（表1参照）。このような特徴はウラル語族以外の多くの言語にもありますし、たとえば英語にも三人称単数現在形の-sとして残っています。フィンランド語やサーミ語のもう一つの特徴は、名詞や形容詞が格変化をすることです。格変化というのは、英語の前置詞に当たるような印が単語の後ろにつくことです。簡単に言えば、日本語で名詞の後ろに助詞がつくのと考え方は同じです（表2参照）。

　サーミ語は地域ごとにかなり大きく異なっており、実際には約十の言語から成る「サーミ諸語」

表1｜動詞の人称変化

日本語	フィンランド語	北サーミ語
私が行く	menen	manan
あなたが行く	menet	manat
彼／彼女が行く	menee	manná

表2｜名詞の格変化

<table>
<tr><th>日本語</th><th>フィンランド語</th><th>北サーミ語</th></tr>
<tr><td>森</td><td>metsä</td><td>meahcci</td></tr>
<tr><td>森の中で／に</td><td>metsässä</td><td rowspan="2">meahcis</td></tr>
<tr><td>森の中から</td><td>metsästä</td></tr>
<tr><td>森の中へ</td><td>metsään</td><td>meahccái</td></tr>
</table>

というグループを作っています。その中で最大の話者数を誇《ほこ》るのがノルウェー・スウェーデン・フィンランドにまたがって分布している「北サーミ語」です。文法はフィンランド語とよく似ていますが、大きな違《ちが》いの一つは「双数《そうすう》」の存在です。フィンランド語にも、たとえば「私が行く」と「私たちが行く」という単数と複数の区別はありますが、興味深いことに北サーミ語ではさらに「私たち二人が行く」という「双数」を区別します（表3参照）。単数・複数とは別に「二人」を意味する特別な形があるということは、北サーミ語では「二人」が何らかの重要な意味をもつということかもしれません。

二　ことばは何のためにあるのか

もう一つのサーミ語のおもしろさは、環境《かんきょう》に関する語彙《ごい》が豊富なことです（表4参照）。サーミ人たちは長い間にわたり自然と非常に近い関係をもちながら、トナカイを飼育したり、狩猟《しゅりょう》・漁労・採集などを生業として生活してきた人々です。ですから、自然や環境に関する語彙が豊富に見つかることも驚《おどろ》くべきことではありません。たとえば、beanatgullan《ベアナフクッラン》はbeana《ベアナ》（犬）とgullat《クッラフトゥ》（聞こえる）からできた語ですが、「犬の声が聞こえるほどの距離」という意味で、現在では「十キロ」ほどの距離をさします。このような単語を耳にすると、犬の吠《ほ》え

表3｜単数・双数・複数

<table>
<tr><th>日本語</th><th>フィンランド語</th><th>北サーミ語</th></tr>
<tr><td>私が行く</td><td>menen</td><td>manan</td></tr>
<tr><td>私たち二人が行く</td><td rowspan="2">menemme</td><td>manne</td></tr>
<tr><td>私たちが行く</td><td>mannat</td></tr>
</table>

表4｜北サーミ語の「雪」に関する語彙の一部

áinnádat	足跡《あしあと》などが目立ちやすい新雪の表面
čuohki	雪が降り積もった氷の層（トナカイが餌《えさ》を掘《ほ》り返せない最悪の状態）
doalli	雪に埋《う》もれかけているが、まだ見分けがつくような橇《そり》の跡
doavdnji	スキーや橇を走らせるのに十分な強さの積雪
dobádat	橇やスキー板の底に雪がつくような湿った状態
jođádat	スキーや橇の滑《すべ》る良い雪の状態
jođáhat	移動するトナカイの群れが雪に残した跡
jolas	一列になって進んだトナカイなどが雪に残した跡
láhttu	スキーの跡、スキーで滑るため雪に作られた二本の溝《みぞ》
márahat	大きなトナカイの群れや人間の一群が踏み固めた雪
seaŋáš	晩冬から春にかけての地面に接した乾《かわ》いた粗《あら》い雪 （トナカイが餌を掘り返すのが容易な雪質）
skárta	地面に接した硬《かた》く凍《こお》った雪の層 （トナカイが餌を取るのが困難な状態）
ulahat	吹雪《ふぶき》などで雪に埋もれ、ほとんど見分けがつかない跡

る声が静《せい》寂《じゃく》を破って遠くまで響《ひび》き渡《わた》るような、そんな広大な自然の中で暮らしていた人々の姿を思い浮かべてしまいます。いくら科学が進歩して自動翻《ほん》訳《やく》といった技術が活用されるようになったとしても、その言語に特有の語彙のもつ深い意味内容すべてを厳密に、そして正確に翻訳するのは難しいでしょう。

サーミ語における自然や環境の分類・理解の方法は日本語のそれとは大きく異なっています。では、なぜサーミ人たちは自然をあのように分類するのでしょう。答えは簡単です。そのように分類し理解することが必要であり重要だからです。自分たちの暮らす大切な環境を必要以上に傷つけることなく共に生きていくためには、その環境を十分に理解することが欠かせません。そして、そのような理解の結果は言語によって表現され、言語の力を借りて次の世代へと伝えられていきます。ですから、環境に関する知識が詰まった言語が消え去れば、環境と共生するための重要な基《き》盤《ばん》が消《しょう》滅《めつ》することになり、結果的には環境破《は》壊《かい》につながる可能性が高いということになります。そのような理由から、「環境を守り、あるいは生き返らせるためには、それぞれの土地に根差した文化と言語を守らなければならない」という主張が国際的にも広く受け入れられるようになっています。

三　ことばを奪《うば》われるということ

さて、サーミ人の人口は六万から十万程度と言われています。その一方で、サーミ語を母語として話す人々の数は三万から多くても五万ほどとされています。日本人の多くは、これらの数字に大きな違和感《いわかん》を覚えるかもしれません。「なぜサーミ人でありながら、多くの人々はサーミ語を話さないのか。」「サーミ語を話さないのにサーミ人なのか。」これらの問《と》いはとても重要な意味をもつものです。多数派であるノルウェー人・スウェーデン人・フィンランド人、そしてロシア人はサーミ人たちからサーミ語を奪おうとしてきました。それは日本人が、たとえばアイヌ語のような少数派の言語を消滅させようとしてきたことと同じです。こうして世界では非常に多くの人々が言語を「奪われてきた」のです。あるサーミ人が次のようなことを言っているのを耳にしたことがあります。

> 自分のことばで生まれることができ、自分のことばで死ぬことができるのは幸せなことだ。

つまり、自分の親たちが話したことばで生まれ育ち、そのようなことばで人生の最期《さいご》を見送られることを許されない人々が、世界中にはたくさんいるということです。逆に、自分のことばで生まれ、自分のことばで死ぬことができるのはかなり贅沢《ぜいたく》なことなのかもしれません。

私がフィンランドの大学へ留学し、サーミ人やフィンランド人の学生に交じって勉強していたときのことです。かなり年配のサーミ人の女性が若い学生たちと机を並べ、サーミ語を一生懸命《けんめい》に勉強している姿がありました。自分のことばを必死になって「取り戻《もど》そう」としているその女性の明るくも真剣《しんけん》な姿には、人の心を動かす何かがありました。その姿を見ると、他人から「ことばを奪う」ことなどはたして許されるのかと問わずにはいられませんでした。

ことばというものは人間にとって非常に大切なものです。それを無理やり奪おうとすれば、その人の幸福になる権利を脅《おびや》かすことになり、さらには争いが起こる可能性も少なくありません。ですから、複数の言語が存在している状況《じょうきょう》を力ずくで変えようとする行為《こうい》は、人々を一つにまとめるよりはむしろ人々を分断することにつながります。このようにして、ことばは人権、そして平和構築の問題となるわけです。現在の北欧の国々は言語に対する人間の権利をしっかりと認めており、サーミ語で学校教育も行われ、また役所などでも少しずつですがサーミ語を使うことができるようになってきています。

四　言語を学ぶということ

言語を習得するコツや早道を教えてほしいと言われることがありますが、そのようなものがあれば私の方が聞きたいくらいです。効率的な学習の方法といったものはあるのでしょうが、それでも言語を習得する上でもっとも大切なことは「なぜ勉強するのか」ということだと思います。その点で、英語ほど不幸な言語はないでしょう。本来、英語や英語にもとづく文化にはおもしろい点が山ほどあるはずなのに、今の日本で英語は「勉強を強《し》いられるもの」「しかたなく勉強する受験科目」「就職を有利にしてくれるもの」といった、単なる道具に成り下がってしまっています。その点、フィンランド語やサーミ語のように「役に立たない」言語の学習は、その気さえあれば成功する可能性がずっと高くなるのではないかと思います。それは、他人から勉強を強制されるような心配がないからです。

言語を習得する上で大切なことは、その言語やその言語を話す人々、あるいはその言語が話されている国や地域にどのくらい関心があるかということだと思います。言語やそれにもとづく文化そのものに対して興味をもち、それが進学や就職、あるいは金儲《かねもう》けなどといったことと無縁《むえん》であればあるほど、その興味そのものが学習の大きな原動力になるはずです。そして、言語の学習は単なる言語の習得以上のものを与《あた》えてくれる可能性があります。ひょんなことから始めたサーミ語の学習が、いつしか環境や人権の問題へと私の目を開かせてくれたように。

北サーミ語では「さようなら」をMana《マナ》 dearvan《テアラヴァン》（元気で行けよ）、そしてBáze《パーツェ》 dearvan《テアラヴァン》（元気で残れよ）と言います。見送る側がMana《マナ》 dearvan《テアラヴァン》と言い、立ち去る側がBáze《パーツェ》 dearvan《テアラヴァン》と言うわけです。はじめてサーミ人にMana《マナ》 dearvan《テアラヴァン》と言ったときに、すかさずBáze《パーツェ》 dearvan《テアラヴァン》という返事が返ってきたときには、「本当にそう言うんだ！」と少し感動しました。そして、自然にGiihtu《キイヒトゥー》（ありがとう）ということばが自分の口から出てきました。こんなちょっとした感動をもたらしてくれるもの、それも言語の学習です。そんな感動を味わうためにも言語を学ぶ価値はあるはずです。そして、純粋に「おもしろいなあ」と思えるような言語に出会うことができたとしたら、その人はとてつもなく幸福だと思います。それでは、Báze《パーツェ》 dearvan《テアラヴァン》!

吉田欣吾

Yoshida Kingo

東海大学文化社会学部北欧学科教授。専門はフィンランドの言語政策。著書に『サーミ語の基礎』（大学書林）、『「言の葉」のフィンランド』（東海大学出版会）、『パスポート初級フィンランド語辞典』『フィンランド語トレーニングブック』『フィンランド語文法ハンドブック』『フィンランド語のしくみ』（以上、白水社）、訳書に『サーミ人についての話』（東海大学出版会）など。

Buore beaivvi!《プオレ ペアイッヴィ》

サーミ語はこんな言葉

北欧とロシアの先住民族サーミ人の言語だが、ほとんどの場所で少数派言語となっている。フィンランド語と同じくウラル語族に属しており、単語から別の単語を作る印である「派生接辞」が豊富なことで知られる。たとえば、borrat《ポッラフトゥ》「食べる」からはboradit《ポラディフトゥ》「食事をする」、borahit《ポラヒフトゥ》「食べさせる」、borastit《ボラスティフトゥ》「少し食べる」、borastuvvat《ポラストゥッヴァフトゥ》「食べたいと思う」、borralit《ポッラリフトゥ》「すばやく食べる」、borrot《ポッロフトゥ》「食べられる」、そしてborramuš《ポッラムシュ》「食べ物」などの語を作ることができる。サーミ語を母語とする人の数は減少を続けていたが、権利回復運動の結果、その数は増加に転じているともされる。また、サーミ語を学習する子どもの数も順調に増加している。

首都ヌークには近代的なアパートも並ぶ。氷山の上では鳥が羽を休めている。（グリーンランド）

15

アイスランド語

バイキングの言葉との出会い

牧師
藤間《とうま》寿紀《としき》

アイスランド語ってあるの？

「アイスランドの人は何語を話すの？」「アイスランド語ってあるの？」

これらは、私がアイスランドに住んでいると知った人たちが尋《たず》ねてくる定番の質問です。北欧《ほくおう》の島国アイスランドは、人口わずか三五万足らずの小さな国ですが、アイスランド語という自前の言語を持っています。

日本の方には馴染《なじ》みのない言語でしょうが、スウェーデン語、ノルウェー語、デンマーク語とルーツを共にする言語で、バイキングの言語でもあります。他のスカンジナビア語が時代と共に、文法を整理し簡略化させて進歩したのに対し、アイスランド語はバイキング時代の古い言語の面影《おもかげ》をいまだに残しています。

アイスランド人はよく「小学生でもバイキング時代の古典書を読むことができるよ」と自《じ》慢《まん》げに語ります。多少の誇張《こちょう》はあるようですが、確かに古い言葉ではあるようです。圧倒《あっとう》的な少数民族であるアイスランド人にとって、アイスランド語は自らのアイデンティティを現す鏡のようなもので、大切なもの。なるべくあるままの姿で保持したいのです。

私は三〇年ほど前に、個人的な事情でアイスランドへ移住しました。否応《いやおう》なしにアイスランド語を学ばねばならなくなったわけですが、当時私はすでに三〇歳《さい》を越《こ》しており、家庭には小さな子供もありました。子供に日本語を教えつつ、自分はアイスランド語を身につけねばならなかったわけです。かつ、家庭を維持《いじ》するためには仕事も必要。

新しい言葉を学ぶための環境《かんきょう》としてはやや難しいものがありましたが、だからこそ何を目標として、どのように学ぶか、という点を十分に考えねばならず、結果として「効率良く」とまではいかないまでも、挫折《ざせつ》することなく先へ進むことができたと考えています。

私のアイスランド語学習法

三〇過ぎのおじさんが、国外で小さな子供に日本語を教えながら、新しい外国語を学ぶ。

しかも、なるべく早くその言語で仕事もこなしたい。そういう条件の中で、私は自分なりの目標を設定しました。

私はこの「目標設定」ということは、とても大切なことだと考えています。ひとつの言語の習得とは、その言語を話す人や国の、文化、歴史、現代の社会状況《じょうきょう》などもある程度は学ぶことになります。考えてみれば広大な分野を含《ふく》むものです。

目の前にすべてが開けている中高校生、ある程度専門が定まってきた大学生、さらに必要がもっと具体的になったビジネスマン等々、それぞれに条件は異なりましょうが、「その言語は何のために学ぶのか？」「どのようなことが一番の必要か？」という点は、なるべく明らかにしていた方が、学びやすいというか、広範《こうはん》な学習分野での舵取《かじと》りが容易《たやす》くなるでしょう。

私はキリスト教の教会の牧師をしています。牧師というのは、キリスト教について教え、人の歩むべき道を説き、あるいは様々な相談に乗ること等を仕事にしています。そのためアイスランド語の学習の第一の目標は「仕事の関係の言葉を理解できること」「職務上で、自分の考えていることを伝えられること」のふたつとなりました。

普通の外国人向けのアイスランド語のクラスに出席しても、出てくる単語は私の仕事とは縁遠《えんどお》いものばかり。私としては魚や台所用品の名前よりは、教会で使う言葉を優先させて学ぶ必要があり、その部分は自分で工夫《くふう》しなくてはなりませんでした。

そのために、毎日アイスランド語の新聞を開き、教会関係の記事に注目して、これらを辞書を使いながら読むようにしました。そうしながら、知らない単語をすべて書き出していってリストを作り、それらの単語を覚えるように努めます。

これはかなり「ビンゴ！」だったようで、この作業を数ヶ月続けるうちに、漠然《ばくぜん》とはしていますが、仕事関係で頻繁《ひんぱん》に目に耳にする言葉は集めることができたようです。“kærleikur《キャイルレイクル》”（〈慈愛《じあい》という意味での〉愛）、“náð《ナウズ》”（恵《めぐ》み）、“umburðarlyndi《ウンブルザーリンディ》”（寛容《かんよう》）等の言葉は教会では日常語ですが、普通の初級アイスランド語のクラスで習うことはまずないでしょう。もちろん、集めた言葉を暗記したり、それらを使いこなせるようにするには、さらなる努力が必要でしたが。

これと並行して進めるようにした学習があります。それは、自分が言いたいことを紙に書いて作文してみる、ということでした。私は牧師ですので、端的《たんてき》に言って自分の考えていること、言わんとしていることを相手に伝えることができなければ、仕事になりません。ですから、この点はかなり意識して努力しました。

例えば「私たちは困っている人を助けるように努めるべきです。が、同時に自分も助けてもらうことを学ばねばなりません」というような、いかにも牧師さんらしいことを言いたいとしましょう。

それをいきなり作文してみるのです。「困っている人」「助ける」「努める」等々、始めは単語を片端《かたはし》から辞書で調べる必要があります。それでいいのです。単語のチョイスが間違《まちが》っているかもしれません。それでもいいのです。

そして、書いてみたら、それを友だちや知り合いのアイスランド人に見てもらい、間違いを直してもらいます。何が間違っていたか、何を直されたかを納得するまでチェックします。例えば、アイスランド語には名詞の「性」というものがあるのですが、その名詞が男性か女性か中性か、単数か複数か、等によって語形が激しく変化します。この変化はアイスランド人にチェックしてもらわないと、自分ではなかなか正誤が判断できないものです。

そして、直された語形やその他の文法事項《じこう》を一応理解し、納得したらそのうえで、その「正しい」文を読んでみて、発音の練習をするのです。

これも、最初のうちはなかなか大変な作業ですし、文法がこれに追いついてくるにはしばらくかかるでしょうが、ただ漫然《まんぜん》と文法の変化表を睨《にら》むよりは、はるかに効果的に学習が進むと思います。

日本を離《はな》れて三〇年が経《た》ちますので、現在の日本の学校での語学教育がどのようになされているか、見当がつかない部分があります。ですが、私自身が受けた、例えば英語教育を振《ふ》り返ると、この「自分の言いたいことを言う」という部分の学習はほとんどなかった気がします。

言語は言葉、そして言葉は自分自身の考えを伝えるいの一番のツールであるわけですから、この「自分の考えをその学習している言語で表す」ということは、もっと大切なものとして、学習の中心に置かれるべきではないでしょうか？

えっ？「自分の考えなんて特にないんですけど……」それは困りますけど、その部分は語学学習ではまかなえないものですね。他の分野の勉強ももちろん大切ということです。勉強というものは「自分の考えを持つためにする」と言っても過言ではないと、私は思っていますが。

コミュニケーションの実際

さて、一応会話らしきものができるようになったとしましょう。もちろん言葉の習得はそれで終わるものでもなく、それ以降さらに複雑な対人コミュニケーションの中で、文法書には載《の》っていないような様々なことも学ぶことになるだろうと思います。

これは、言葉の学習なのか、コミュニケーションの学習なのか判然としない分野でもあります。例えばアイスランドでは、日本にあるような年齢《ねんれい》による序列という意識があまりありません。一三、一四歳くらいのティーンエージャーでも、父親よりさらに年齢が上のような人たちを普通にファーストネームで呼びます。

これは慣れるのがなかなか難しく、「トシキ！」とか呼びかけてくるティーンたちに「なんだ、こいつら」と心中思ってしまったこともあります。ですが、逆に自分が年上の人に対する際に「ともかく年齢が上だから」というしがらみがないことに気がついてからは、そういう関係を見直すようになりました。

もちろん「年齢なんか関係ない」ということではありませんよ。年齢による序列の上にあぐらをかかないで、大人としてきちんと範《はん》を示す。あるいは年下のものとして、自然体で上長者に礼を表す、ということが基本にあるのだ、ということを再認識するきっかけとなったのです。

そういう、ある意味でのカルチャーショックをひとつまたひとつと経験し、乗り越えていくなかで、自分自身の培《つちか》ってきた日本人の文化と、アイスランドへやってきて出会ったこの国の文化の境目に辿《たど》り着く気がします。その境目にうまく橋渡《わた》しをすることもできるかもしれませんし、逆に腹がたったり失望したりする結果になってしまうこともあるかもしれません。

ここには決まった答えはないのです。そこから先はあなた次《し》第《だい》ということです。答えが決まっていない世界へ出向く。チャレンジですよ!!

藤間寿紀 Touma Toshiki

一九五八年、東京都出身。八三年法政大学法学部卒。八八年日本ルーテル神学大学（現ルーテル学院大学）卒。九〇年日本ルーテル神学校卒、日本福音ルーテル教会名古屋柴田教会牧師。九二年家庭の事情によりアイスランドへ移住。九六年アイスランド福音ルーテル教会牧師。在留邦人の子弟のための日本語教室を設立し二〇一六年まで奉仕。アイスランド大学日本語学科非常勤講師などを経て、現在は首都レイキャビクをベースにして移民・難民のための牧師として働く。

「レイキャビク西街ひとり日誌」URL https://blog.goo.ne.jp/toshikitoma/

Góða nótt!《ゴゥザノット》

アイスランド語はこんな言葉

アイスランド共和国の公用語。インド・ヨーロッパ語族ゲルマン語派の北ゲルマン語族に属し、ノルウェー語と最も近い関係にある。九世紀末以降、ノルウェーからの移民がもたらした言語が発展して現在のアイスランド語となった。古代ノルド語の古形を保っているため、古アイスランド語や古ノルウェー語などの古語と現代アイスランド語の差が小さく、地方による方言差もあまりない。十三〜十四世紀には「エッダ」「サガ」「スカルド」といった豊かな文学が生まれた。

16

ヤノマミ語

初めてのヤノマミの村へ

探検家／医師
関野《せきの》吉晴《よしはる》

ヴェネズエラの最南端《なんたん》、ブラジルとの国境地帯、オリノコ川の水源地帯に住む先住民ヤノマミに会いたいと単独でその入り口に当たる村マヘコドテリにやって来た。

村に着くといきなりヤノマミの男女に取り囲まれた。私の荷物に関心がある様だ。ザックをひっくり返したり、ポケットを覗《のぞ》き込《こ》んだりしている。やがて一番大きいザックの紐《ひも》を解いて開け始めた。「何するんだよ」と制止したが「no problem」と言って、紐を解き続ける。

少しは簡単なスペイン語が分かる者がいるようだ。とうとうザックの上の方から私の私物を引っ張り始めた。それをじっくり見て、私に説明を求める。医薬品、筆記用具には全く関心を示さない。ナイフが出てくると大騒《さわ》ぎになる。皆《みな》でまわしてみている。着替《きが》えが出てくると俄然《がぜん》騒ぎ始めた。言葉がわからないので身振《ぶ》り手振りで伝える。

やがてパンツが三枚でてきた。引っ張り出した男が何やら興奮気味に騒いでいる。男は三枚のパンツを私の前に並べた。男は自分の足元には何もないことを示した。多くの男たちは赤いフンドシを着けているが、子供や老人は腰《こし》に紐を巻いていて、オチンチンの先端《せんたん》をその紐に結わえつけている。女たちも老人は何も身につけていないが、極端に短いミニスカート様なものを身につけているか、大相撲《ずもう》のさがりの様な、腰の低い部分に巻いた赤い紐に下腹部を覆《おお》う様に十五センチ程《ほど》の紐を何本もたらしたものを身につけている。男女ともに誰《だれ》も帰らず、むしろ人の輪は大きくなってくるばかりだ。

男はパンツの一枚を自分の足元に置き、自分の胸を指差している。私に語り続けている。「ブヒ」と言っている。「欲しい」「くれ」と訴《うった》えていると理解できる。私が最初に覚えたヤノマミ語だ。この後私も何度も使うことになる。

私は日本語で説明した。この三枚は着替えで、今履《は》いているパンツを洗っている時に着替えるためだと言っても、理解できない様だ。何回も同じ説明をしたが、言葉は通じず、結局二人の男はパンツを返してくれなかった。

イタリア系のカトリック、サルジニア会の神父がいるというのでオリノコ川の川辺にあるミッションを訪《おとず》れてみた。顎鬚《あごひげ》の濃《こ》いイタリア人神父は私の訪問を歓迎《かんげい》してくれた。学校もあり、多くのヤノマミが出入りしているが、ほとんどスペイン語は理解しないと言う。神父に「スペイン語を片言でも話せるヤノマミはいませんか」と尋《たず》ねた。僕はもっと奥地のヤノマミと交流したかった。すると、「教会に出入りしている男で、僅《わず》かだがスペイン語の分かる者がいる。一緒《いっしょ》に行けるか聞いてみよう」と言う。

神父にパンツをとられてしまったことを話した。「彼《かれ》らの世界では誰かがたくさんもっていて、他の者が持ってないということがない社会なのです。ですからあなたが三枚パンツを持っていたので、何故《なぜ》俺《おれ》に一枚くれないのかと言うわけです」と説明してくれた。

ヤノマミは十一万平方キロメートルという、日本の国土の三分の一にあたる広さのなか、頻繁《ひんぱん》に移動し、離合集散《りごうしゅうさん》を繰《く》り返しているために正確な人口は分からない。少なくとも一万人は暮らしているといわれている。南米の熱帯雨林に暮らしている先住民の総人口は四〇万～五〇万人、そのほとんどの部族は数千人あるいは数百人規模だから、ヤノマミは最大級の部族といってよい。そのほとんどは、最近までキリスト教の布教団体などごく一部の者を例外として、外部社会との交流の機会を持たなかった。彼ら独自の文化をかたくなに守り、生き生きと暮らしている。

神父がカタコトのスペイン語の分かるショリという男を紹介《しょうかい》してくれた。二ヶ月の滞在《たいざい》を見込んで町で調達した食料は重く、そのためにポーターを雇《やと》わなければならなかった。ショリの他に三人の若者が行くことになった。

　大きなシャボノ（小屋）の狭《せま》い入り口から中に入ると歓声《かんせい》で迎《むか》えられた。弓矢をこちらに向けて来る者もいたので、少し緊張《きんちょう》した。しかし、シャボノの中の一部を整頓《せいとん》してくれて、私がハンモックを張るのを手伝ってくれた。

　一緒に来たヤノマミたちはそこに荷物を置いてどこかに行ってしまった。親戚《しんせき》や友人の近くでハンモックを吊《つ》るという。

　翌日早朝、私のハンモックは男たちに囲まれていた。やがて私のハンモックに入って来る者がいる。彼らのハンモックは綿や樹脂《じゅし》繊維《せんい》で出来ているが小さい。

　男たちは声をかけて来るが何も分からない。彼らは裸足《はだし》で、顔や身体をオレンジ色のベニノキで塗《ぬ》っている。白いハンモックは土とアチョテ（ベニノキ）、鼻水で汚《よご》れていく。一人の男が下りると別の男が乗って来る。彼らが声をかけて来るたびに「ワカラナイ」と言うと、彼らも「ワカラナイ」と鸚鵡《おうむ》返しに繰《く》り返す。土で汚れた裸足をハンモックの中に入れない様に頼《たの》んだ。最初は言うことを聞いてくれたが、いつのまにか汚れた足を入れて来る。その日のうちに、白かったハンモックはすっかり赤黒くなっていた。

四月になると、レアホ（饗宴《きょうえん》）の季節になる。トゲヤシの実がたわわになり、年の一度の大宴《えん》会《かい》が開かれるのだ。同盟を結んだ村人を招待する。ヤノマミは酒はないのでバナナ粥《がゆ》を多量に作る。男たちは村を出て狩《か》りに行く。客に肉を振舞《ふるま》わなければいけないので、獲物《えもの》が獲《と》れるまで帰って来ない。その間、女たちは夜になると、歌い、踊《おど》る。

夜になると熱帯の森も気温が下がって来る。若い女たちが集まって身体じゅうにベニガラを塗り始める。四、五人が一組になって一列になって肩《かた》を組む。三組できた一組の、そのうちの一人が天にも届く様な高い声で歌い始めた。すると、女たち全員が鸚鵡返しに彼女の歌った歌を合唱した。少しずつシャボノの中庭の中を周り始めた。満月に近い月が出ているので、中庭は結構明るい。とうとうわたしも誘《さそ》われた。最初に一人が歌ったフレーズを真似《まね》ればいいので、私も意味がわからないまま大声で歌った。歌っているうちに皆と一体感を感じ始めた。

疲《つか》れたら抜《ぬ》けて休んでもよかった。それでも歌と踊りは四、五時間続いた。それが連日続くのだ。やがて狩人《かりうど》たちが森の中で燻《いぶ》した獲物を持って帰って来ると、夜の歌と踊りも終わり、本格的饗宴の準備が始まった。

饗宴が終わった後、隣《となり》のシャボノを訪れた。ここでは女たちが集まってきた。ハンモックの中に入ってくることはないが、私がヤノマミであるかのように次々とヤノマミ語で話しかけてくるのだ。ショリは相変わらず私の近くにいない。私が日本語で「ワカラナイ」を連発するとその何倍も「ワカラナイ」とオウム返しに叫《さけ》ぶので、「ワカラナイ」はヤノマミの流行語になってしまった。

私は日本の童謡《どうよう》を歌った。女たちはあまり関心がなさそうだ。そのうち饗宴で覚えたヤノマミの歌を歌った。すると俄然《がぜん》女たちが聞き入り始めた。何回も歌ったので意味は分からないが歌詞とメロディをすっかり覚えていた。男たちも集まってきた。シャボノごとに歌が違《ちが》うようで、もっともっととアンコールをせがまれた。ヤノマミの歌のおかげで一夜のうちに村人たちと親密になってしまい、シャボノの中を歩いていると、「ヨシー」と声を掛《か》けられタレント状態になっていた。

二ヶ月間滞在して、ヤノマミ語は片言しか覚えなかった。通訳兼《けん》ヤノマミ語の先生になるはずのショリはいつも近くにいなかった。それでも突《つ》っ込んだ話はできないが、ある程度のコミュニケーションはできた。

女たちと小川に行き、小エビ、カニ、巻貝、小魚をとりに行き、私のとれた物を見て、ニコッとしてくれる。

シャボノ内の広場で、よく、太い木の蔓《つる》を使って綱《つな》引きをする。男も女も子供も一緒になって、真剣《しんけん》に引っ張る。私が加勢した方が勝つと、私の後ろにいた男が、満面に笑みを浮《う》かべて首を縦にゆっくりと振っている。

私のハンモックの隣、大きな炉《ろ》の周りにハンモックを張っていた家族が飼っていた老犬が死んだ。家族揃《そろ》って泣いている。私のハンモックの周囲にもよく来ていたので、寂《さび》しいが涙《なみだ》が出るほどではない。その家族に呼ばれた。彼らは一晩中泣いていた。

喜《き》怒《ど》哀楽《あいらく》を表現する手段は言葉だけではない。しぐさ、目つき、表情、顔色、姿勢、涙、手つき、歩き方など多彩《たさい》だ。

初期猿人《えんじん》も人類だとすると人類は七〇〇万年の歴史を持つ。言葉は認知能力と共に七万年前に生まれた（『サピエンス全史』）。人類史の九九パーセントは、言葉なくして生き延びて来た。

サルも声を発する。猛禽《もうきん》類が現れれば、「下に降りろ」、猛獣《もうじゅう》がやってくれば「上に登れ」、ケースに応じて異なった警戒音を出す。しかし、「今朝、サツマイモを海水で洗って砂を落として食べたよ」とは言えない。それができたのはホモサピエンスだけで、しかもその歴史の後半になってやっと可能になった。

しかも、その前に人類は家族、コミュニティを作り、石器を作り、火も使い始め、身体も脳も大きくなっていった。実は人類は火も使わずに五〇〇年以上生きて来たのだ。火を使い始めてから原人の一部はアフリカを出て、アジア、ヨーロッパにまで進出した。

言葉が生まれたころ、言葉は話し手の表情が見える所で聞けた。現在は面と向かって話す機会が減ってしまった。人類は顔の表情筋が五七もあり、霊長類《れいちょうるい》で唯一《ゆいいつ》白目がある、面と向かって話せば表情や目の動き、しぐさ、ジェスチャーも見ながら話す。文字言語は使わないので、声の張りや勢い、強さが重要になる。

サッカーやラグビーなどでは言葉は重要ではない。軍隊でも小隊レベルの少人数だと同じだ。ペルーアマゾンでもマチゲンガは子供たちに名がついていなくても、「息子《むすこ》！」「娘《むすめ》！」と呼べばその場の状況で誰が呼ばれているか分かるので名がなくても困らないと言う。

私はそういう世界で二ヶ月間暮らすという貴重な経験をしたのだと思う。

関野吉晴

Sekino Yoshiharu

一九四九年、東京生まれ。武蔵野美術大学名誉教授。一橋大学法学部在学中に探検部を創設。アマゾン全域踏査隊長としてアマゾン川全域を下る。先住民との交流で医療知識の必要性を感じ、横浜市立大医学部に入り八二年に卒業。外科医として勤務のかたわら南米通いを続けた。アフリカに誕生した人類が拡散した道をカヤックや自転車、犬ぞりなどでたどる「グレートジャーニー」などを達成。一九九九年、植村直己冒険賞受賞。

ヤノマミ語はこんな言葉

「ヤノマミ」とはヤノマミ語で「人間」のこと。同じヤノマミ族の中でも用いる言語が異なり、ヤノマメ、ヤノマム、サネマ、ヤナムと大きく四つの集団に分けられる。「ノフィ」は「友達」という意味の言葉で、親愛の情を示すために男性同士がよく用いる。女性に対してはあまり使わず、そもそも女性同士あまり挨拶をしない。初対面では歓声《かんせい》で迎えられるが、必ずしも好意的でない場合もあり、笑顔の人がいる一方、威《い》嚇《かく》を意味したり弓をつがえて来る人もいる。アマゾンの他の民族がシャイなのに比べ、感情表現が豊かで、お酒を飲まないのにハイテンションな一面ももつ。

17

英語

英語で切り拓《ひら》いたテニス人生

元プロテニス選手／テニス指導者
杉山愛《すぎやまあい》

「英語を話せるようになりたい」

そう思うようになったのは、七歳《さい》の頃《ころ》でした。

当時私は、世界のトッププレイヤーを輩出《はいしゅつ》するアメリカのテニスアカデミーの日本校に所属し、「将来はプロテニスプレイヤーとして、海外で活躍《かつやく》したい」という夢をもっていました。アカデミーにはアメリカ人コーチが三人いて、彼《かれ》らの注意もアドバイスもすべて英語でした。通訳《つうやく》もいたけれど、通訳を通さずにコーチの言っていることを理解したい、自分の言葉で気持ちを伝えたい、という思いが強く、彼らと直接コミュニケーションをとりながら、日常英会話を自然に吸収していきました。

十四歳のときには、十八歳以下の選手が出場するジュニア大会に参加しはじめ、年に数回、アジアの国々に遠征《えんせい》ツアーに出かけるようになりました。

ツアーでは、アジアの国々の選手たちと一緒《いっしょ》にごはんを食べたり、トランプをしたりして仲良くなりました。日本人もいましたが、せっかくの機会、日本人同士で固まっていてはもったいないと、他の国の人たちの輪に積極的に入っていくようにしていました。

英語力が不十分でも仲良くなれたのは、「テニスが大好き」という共通点があったからでしょう。ときには、みんなが冗談《じょうだん》に笑っていても自分だけ取り残されたり、友だちが深刻な話をしているのに、一人だけ笑ってしまったこともありました。でもジュニア時代、同世代の仲間と過ごす時間はとにかく楽しく、あっという間に時間が過ぎていきました。

英語の重要性を実感したのは、十七歳でプロに転向してからです。ジュニアとは雰囲気《ふんいき》が大きく変わり、一試合の勝ち負けが選手生命を左右する非常に厳しい世界です。大会の運営やミーティングは英語で行われ、情報も英語で発信されます。

プロになれば数多くの世界大会で優勝を目指して戦うわけですが、一月の全豪《ぜんごう》オープン

（オーストラリア）に始まり、ドーハやドバイといった中東、三月はアメリカ、四月にはシーズンがスタートするヨーロッパ、そしてまたアメリカへ……わずかなオフを除けば一年中、世界各地を巡《めぐ》り、試合を続ける生活です。ツアー中は試合に集中して、百パーセントのエネルギーをプレーに注ぎたい。ただでさえプレッシャーを抱《かか》えているのに、コミュニケーションのストレスまで抱えたら、プレーには悪影響《えいきょう》しかありません。英語を使えるようになることは必須《ひっす》でした。

また試合前のインタビュー、試合後の記者会見や優勝スピーチは、活躍《かつやく》すればするほど声がかかります。メディアを通して物怖《ものお》じせず、誤解なく、自分の気持ちや考えを表現できるようになりたいと、他の選手のスピーチを参考に英語を勉強しました。

そしてコツコツと勉強を続け、不自由なく英語が話せるようになった結果、私の世界が変わっていったのです。試合により集中できるようになり、海外の大会の環境《かんきょう》にも順応《じゅんのう》しやすくなって、ツアーを心から楽しめる余裕《よゆう》が生まれました。

プロテニスプレイヤーとして活動するために身につけた英語でしたが、それによって、心から信頼《しんらい》しあえる友人を得ることもできました。ダブルスは仲のいい海外選手とペアを組むことが多く、練習や試合以外の時間には、一緒に食事をしたりお茶を飲むこともあります。そうやって関係性を深めていくなかで、日本人の考え方にはない、柔軟《じゅうなん》で広いものの見方や考え方があることを、たくさん教えてもらいました。

　私よりも一つ上世代の日本人テニスプレーヤーは、二十代半ばで引退する人が多くいました。でも世界に目を向ければ、年齢《ねんれい》や出産にかかわらず活躍を続ける選手は少なくありません。セリーナ・ウイリアムズさんもその一人です。彼女が出産したとき、私は「もう引退なんて残念……」と思ってしまいましたが、三十八歳になった今も彼女は第一線でがんばっています。周囲の予想を軽く超《こ》えて自分の可能性を追求し、その生きざまをもって、力強い人生哲学《てつがく》を見せてくれています。私が三十四歳まで現役《げんえき》を続けられたのも、さまざまな哲学をもつ、たくさんの外国人選手とのコミュニケーションがあったからだと思います。プロを引退した現在は、グランドスラム（全豪オープン・全仏オープン・ウィンブルドン・全米オープンの四大大会）に解説者として参加していますが、現場には古くからの知り合いがたくさんいて、互《たが》いに英語で近況《きんきょう》報告をします。十七年間の現役生活で得たものは今も自分の中に生きていて、人生を豊かにし、道のりを確かなものにしてくれました。

私は英語を勉強するときは教材を使わず、日常の中で、できるだけ多くの英語に触《ふ》れることを大切にしてきました。好きな分野のニュースや、映画や音楽など、自分の興味のあることに関する英語を繰《く》り返し聞いたり読んだりするのも、いいと思います。英語を学ぶときは、尊敬する人の残した言葉や格言を学ぶのもおすすめです。

私の好きな言葉に、

Everything happens for a reason.（すべての出来事には理由がある）

があります。日本語にすると、いいことも悪いことも含《ふく》め、今起きている出来事には必ず意味がある、ということです。テニスをするときにも、よくこの言葉を思い浮《う》かべます。調子がいいときも悪いときも、その理由を考えることが、よりよいプレーにつながるからです。「なぜ自分にだけ、こんなにつらいことが起きるのだろう」と思ってしまうスランプのときにも、この言葉を思い出すと、「これは何を意味しているのだろう」と、目の前の出来事を、ポジティブに捉《とら》えることができるのです。

I can accept failure, everyone fails at something. But I can't accept not trying.（私は失敗することは受け入れられる。誰《だれ》でも失敗するものだ。でも、挑戦《ちょうせん》しないでいることは耐《た》えがたい）

とは、大好きなマイケル・ジョーダンの残した言葉です。この言葉の示すように、せっかく生まれてきたのだから、何事にも、失敗を恐《おそ》れず、どんどんトライしていきたいですよね。

今の時代、日本だけに留《とど》まるのはもったいない。何がきっかけで世界に出るチャンスが巡ってくるかもわからないし、英語を身につけて言葉の壁《かべ》を乗り越《こ》えれば、何をするにも選択《せんたく》肢《し》は増えるでしょう。

最後に、若い方には、

Be the best you can be.（ベストを尽《つ》くして最高の自分になりなさい）

という言葉を知っておいてほしいです。スポーツは、「心・技・体」（心、技術、からだ）すべてを整えて挑《いど》むものです。スポーツを通じて世界に出るということは、それらの事柄《ことがら》が国内レベルを超えて、もっと高いレベルで鍛《きた》えられるということ。これはスポーツの世界だけではなく、すべてにおいて言えることかもしれません。

足りないところは磨《みが》いていくこと。それが自分を高めていくチャレンジであり、人生の楽しいところでもあります。英語を学ぶことも自分の可能性を広げる第一歩として、どうかチャレンジしてみてください。

杉山愛 Sugiyama Ai

一九七五年、神奈川生まれ。四歳でテニスをはじめ、十五歳で日本人初の世界ジュニアランキング一位を獲得。十七歳でプロに転向後、シングルス四九二勝（優勝六回）、ダブルス五六六勝（優勝三八回）、グランドスラムのダブルス優勝四回。ダブルスでは世界ランク一位に輝き、オリンピックにも四回の出場経験がある。二〇〇九年、現役引退。現在は後世育成事業を手掛ける傍らテニスの解説者、情報番組のコメンテーターなど、多方面で活躍している。

18

英語

自分の英語、自分の場所

文筆家
佐久間裕美子《さくまゆみこ》

「アイハバペン」と何度も復唱させられる段階を越《こ》えたら、英語の勉強は急におもしろくなった。学校は苦痛だったが、英語の教科書にあったリーバイ・ストラウスという人が耐久《たいきゅう》性の高いワークウェアを作ったことがリーバイスの始まりだったという物語に引き込《こ》まれた。友達の姉を介《かい》して洋楽を発見して夢中になり、歌詞やライナーノーツに書いてあることを理解するために、知らない言葉をひとつひとつ辞書で調べあげ、自分なりの翻訳《ほんやく》をした。

取り憑《つ》かれていた、と言っても過言でない。振《ふ》り返れば、この頃《ころ》は、まだ「アメリカに行きたい」という具体的な夢は持っていなかったはずだ。ただ、英語を理解し、話せるようになりたい、と思っていた。あれはなんだったんだろうか、と今考える。そして、「ああ、単にかっこよかったからだな」と思う。洋楽雑誌で見るスターたちの姿も、テレビやラジオで流暢《りゅうちょう》に英語を操《あやつ》る日本人のパーソナリティたちも、とにかくかっこよかったのだ。

当然、学校の「科目」の中では英語が一番得意だったし、自分の英語はなかなかである、と思っていたと思う。ところが大学に行ってみると、帰国子女がたくさんいた。この人たちは、育った環境《かんきょう》のために、大した努力をせずに英語ができるようになったのだ、と理不尽《りふじん》に思ったりもしたが、それがさらに私の努力に火を点《つ》ける結果になった。

＊　＊　＊

世の中にはいろんな英語の学習方法があるが、私は「聞けるようになれば、話せるようになるのだ」とただひたすらに信じていた。テープになって郵便箱に届くリスニングの教材を親にせがみ、真面目にすべての課題をこなしていた。だんだん飽《あ》きたらなくなって、極東に展開する米軍のためのラジオ局にダイヤルを合わせたりした。お気に入りの洋画のビデオを買って、テレビのテロップが流れる箇所《かしょ》に紙を貼《は》って、字幕なしで理解できるようになるまで繰《く》り返し繰り返し見た。

そうやって、私は日本にいながらにして、英語の力をつけていった。数少ない外国人とのふれあいの中で、自分の英語力を確認した。帰国子女のみんなみたいにナチュラルには話せないけれど、アメリカに行っても困らないくらいにはできるのだと思っていた。これだけ大量の時間と情熱を投入してきたのだから、できていなかったら困る、という気持ちもあったかもしれない。

実際、夏の短期留学で初めてアメリカに行ったときには、特に困ることはなかった。そのうち大学院に行くことを決めて、アメリカに渡《わた》った。当たり前のことだけれど、大学院までいくと「できる」レベルだと思っていた自分の英語では、力不足であることが明らかだった。授業は厳しかったし、自分が井の中の蛙《かわず》だったことを見せつけられてちょっとしたメンタルクライシスに陥《おちい》ったりもしたが、なんとか必死でがんばって無事に卒業できた。

＊
＊
＊

問題は卒業してからだった。私が最初に得ることができた仕事は、日本の新聞社のニューヨーク支局での記者助手としての仕事だった。誰《だれ》もが優しく、忍耐《にんたい》強く話を聞いてくれた学府から、ニューヨークという街の「現場」に放り込まれたのである。自分は普通に英語ができる、という思い上がりを、木《こ》っ端《ぱ》微《み》塵《じん》に打ち砕《くだ》かれたのは、インターネットという言葉がまだ多くの人に未知だった頃のことだ。たとえば、国連でなにか重要な発表があったとする。国連に電話をしてＦＡＸを送ってもらわなければならない。あちらの電話はひっきりなしになっているだろう。簡潔に用件を伝えて、こちらのファックス番号をメモしてもらう。電話口の向こうからマシンガンのような勢いで言われていることを理解できないと、事故が起きる。途中《とちゅう》で、電話を切られたことも、まごついてしまい「英語のできる人に替《か》わって」と言われたこともある。挫《ざ》折《せつ》の連続だった。ふがいない自分が悔《くや》しくて、トイレで泣いたことも多々あった。

　母語が英語でないことがハンデになる業界に飛び込んでしまった、と自分を呪《のろ》ったこともあったけれど、めげている場合ではなかった。毎日、手に入るすべての雑誌と新聞に目を通し、ニュースを見続けた。自分の英語力の成長を感じるためには、浴びるしかないのだと思っていたし、そこに手応えを感じてもいた。アメリカ人は、すぐに意見を聞いてくる。答えられないのは悔しい、ととにかく英語と知識を貪《むさぼ》った。社会人講座を受講し、レクチャーにも積極的にでかけた。

当時、インターネットで手に入る日本からの情報はまだ限られていたけれど、ニューヨークのような都会には、レンタル業者がいて、日本のドラマだってお笑いだって見ることが可能だった。誘惑《ゆうわく》が忍《しの》び寄ることもあったけれど、日本の文化に触《ふ》れたらなし崩《くず》しにその世界にとらえられて、自分の成長が減速するのが怖《こわ》かったから、頑《かたく》なに見なかった。

＊＊＊

ニューヨークで生活する、ということも、それなりのチャレンジだった。何かが故障して修理を頼《たの》むとか、間違った商品が届いてクレームするとか、間違った内容の違反《いはん》チケットを切られて裁判所に出頭しなければならないとか、日本や小さな学生街ではありえないようなことがしょっちゅう起きた。そのたびに、自分は戦闘《せんとう》モードでまくしたてなければならない。腰《こし》が引けていると事が進まないのだ。

最初の数年間、仕事も、ニューヨークも、ちっとも甘《あま》くなかった。今思えば、こういうことは、ニューヨークの洗礼だったのだと思う。ビギナーたちは、本当にこの街に住みたいのか、どれだけ本気なのか、何度も何度も試される。そして、その試練を乗り越《こ》えた人間には、急に優しくなる。そういう街だったのだと思う。

ニューヨークには、英語を完璧《かんぺき》に話せない人たちがごまんといる。どれだけ長く住んでいるのだろう、英語はペラペラと話せるけれど、祖国の言葉の訛《なま》りがまったく消えない人たちもいる。消そうとも思っていないのかもしれない。自分の英語のレベルが思うほど高くないのだとよく落ち込んでいたニューヨーク初期の頃、この地に錨《いかり》を下ろした移民たちの姿に勇気を得ていた。訛り丸出しの英語でこの地に力強く生きている人たちが、英語なんて、通じればいいのだ、と教えてくれているような気がした。私にもできる、きっとここには私のための場所もある、と、日々、自分に言い聞かせていた気がする。

結局のところ、私は、日本語を主に商売の手段として生きる道を選んだ。英語を浴びて浴びまくった結果、日本語との距離《きょり》も近づいたのだなと今になって思う。

あの頃のことを思い出すと、気持ちが少しだけヒリヒリする。能力も、自信もないのに、なにかを信じて勉強しまくっていたときのことを。あんなふうに勉強したことは、前にも後にもなかった。辛《つら》かった、しんどかった、と思うけれど、苦痛の時代がなければ、今の自分も、自分のスキルもきっと存在しなかったはずのものなのだ。

佐久間裕美子

Sakuma Yumiko

一九九六年に渡米し、九八年からニューヨーク在住。出版社、通信社などを経て二〇〇三年に独立。著書に『真面目にマリファナの話をしよう』（文藝春秋）、『My Little New York Times』（numabooks）、『ピンヒールははかない』（幻冬舎）、『ヒップな生活革命』（朝日出版社）、翻訳書にザック・エブラヒム、ジェフ・ジャイルズ『テロリストの息子』（朝日出版社）。慶應義塾大学卒業。イェール大学修士号を取得。

19

グリーンランド語

北極に一番近い町

旅コーディネーター
佐紀子《さきこ》ダオワナ

今、グリーンランドに住んでいる。あの北極の近くの、どの地図でも真っ白い色をした大きな島。南北二千五百キロ、東西千キロ、西ヨーロッパと同じくらいの大きさのところに五万六千人が住んでいる。

日本からここへ引っ越《こ》してきたのは二十年以上前。学校を出てから勤めた東京の会社での仕事は、めちゃ楽しくてわくわくすることがたくさんあった。連日深夜まで仕事をして、週末になると車の上に夏はカヤック、冬はスキーを積んで、金曜の夜から山へ向かい、アウトドア三昧《ざんまい》の日々だった。そして一転、人口五百人の極北の町に移り住んだ。

北極に近いグリーンランドの中でも、最も北極に近い町カナック。夏は猟師《りょうし》たちがカヤックでイッカククジラを獲《と》り、冬は犬ぞりで何週間もシロクマ狩《が》りに出かける、そういう極寒の地で暮らす知恵《ちえ》が脈々と今も継《つ》がれている。と同時に、現代のグリーンランドはネットフリックスやフェイスブックは完璧《かんぺき》に生活に溶《と》け込《こ》んでいるし、ＧＰＳを持って猟に出る猟師は決して珍《めずら》しくない。

絶滅《ぜつめつ》危《き》惧《ぐ》言語をどう学ぶ

ここに住み始めた時は、〝qujanaq《クヤナ》〟（ありがとう）とか〝mamartoq《ママット》〟（おいしい）とか、海外旅行に行ったら習うような単語を十くらい知っていた。その前の年の夏に旅行をしたときに覚えたものだ。グリーンランド語は、アラスカ、カナダ北部からグリーンランドにかけて使われるイヌイットの言語群に含《ふく》まれる。ユネスコの推定によると話せるのは五、六万人で、〝絶滅危惧言語〟に含まれるのだそうだ。

引っ越す前にグリーンランド語を習おうと教材や教室を探したが、日本では何も見つからない。グリーンランドに来てからわかったのは、手に入るものは全部デンマーク語で書かれているということだ。グリーンランドはデンマークの一部で、独自の国会や法律を持っている自治国。本国デンマークの言葉がグリーンランド語とともに公用語なのであった。英語などほかの言語との間の辞書がない。試しに、デンマーク語から英語の辞書を片手に二重に翻《ほん》訳《やく》して取り組んでみたけれど、まどろっこしくて全然根気が続かない。自分は実生活で学ぶ方が向いている、という結論に。

東京の郊外《こうがい》から五百人の町へ移り住んで、はたして大丈夫《だいじょうぶ》かと心配してくれた友達もいるようだった。しばらくたって発見したのは、どこに住んでいても、日常接する大切な人の数はあまり変わらないということだった。毎日ごく身近に頻繁《ひんぱん》に接するのは家族・友人・職場を含《ふく》めて五人くらい。週に数回以上、軽く出会ったり会話したりする人は十人くらい。月に一回ほど楽しい思いを一緒《いっしょ》にする人は五人くらい。その他に何となく知っていたり時々すれ違《ちが》う人が五十人から百人。東京でもグリーンランドでも変わらないので、寂《さび》しいという感じはしない。小さな町だから、町の誰《だれ》もが自分が越してきたことを知っている。道で会う人は皆《みな》、声をかけてくれるのはとってもありがたい。

心強かったのは先輩《せんぱい》がいたこと。自分より二十年以上前から隣《となり》の村シオラパルクに住んでいる大島育夫さん。イヌイットの言葉を話し、アザラシやシロクマを獲る腕《うで》のいい猟師。子供たちに“huna una《フナウナ》”（これは何？）って連発すること。子供はめんどくさがったり飽《あ》きたりしないから、とアドバイスを下さった。よく遊びに来る女の子たちと折り紙をしたりして仲良くなった。一から十をグリーンランド語で数えられるようになり、彼女《かのじょ》たちは日本語で数えられるようになった。動物の名前とか、家の中のものとか、単語を覚えていくのは楽しいものだ。日常会話でよく使う短いフレーズも少しずつ増えていった。でも、ちゃんとした文章を組み立てるとなると、そう簡単にはいかない。

トホホなグリーンランド語講座

チャンスは三年目にやってきた。首都のヌークに引っ越したのだ。北の果てのカナックの町がグリーンランドだと思っていたが、なんとここは別世界のよう。道路が舗装《ほそう》されている。信号がある！（当時はグリーンランド全土で首都に信号機が一つあるだけだった。）店が何《なん》軒《げん》もある。（極北のカナックには店が一軒。食べ物から掃除機《そうじき》や服まで売っていて、パンのカウンターの向かい側に銃《じゅう》が置いてあった。）しかも首都では店によっては英語が流暢《りゅうちょう》な店員がいる。ここならグリーンランド語を習うことができるに違いない。当時、カタコトのグリーンランド語を英語交じりで使い、ごく簡単な日常の会話ができるだけだった私は、二週間のグリーンランド語の初級講座があるというので勇んで出かけた。

初級のコースなので日常の挨拶《あいさつ》から始まる。ん、これはわかる。簡単な会話を、教本を使いながら練習する。ふむ、グリーンランド語は八割方わかるが、デンマーク語の解説が耳からも文字からもチンプンカンプン……。教室なので辞書が本棚《ほんだな》に並んでいる。デンマーク語から英語の辞書を持ってきて、教本のわからない単語を調べるが、デンマーク語はほとんどわからないので、あまりにも時間がかかる……。どうやら初歩の文法の説明をしているらしい。そう、これが一番苦手なところなので大切！　あぁ、これは〝過去〟これは〝複数〟というデンマーク語だとわかる頃《ころ》には、講習は次の課題に進んでいる。例文問題の〝彼《かれ》〟とか〝彼女〟といった言葉さえわからないので辞書と首っ引き。わからないことがあったら何でも聞いて、と講師は言ってくれたけれど、グリーンランド語の単語は大体わかっても、そのほかは何を言っているのか全然わからないので、何から聞いたらいいのかよくわからない。聞き始めたら講習の流れを完璧に止めてしまうと思うと聞けない……。

　講習一日目、目の回るような数時間の後、職場に戻《もど》った。幸い、アラスカやカナダを含む環北極圏《かんほっきょくけん》のイベントの事務局で、職場の共通言語が英語だったため、仕事が見つかったのだ。講習どうだった、と口々に尋《たず》ねてくれる同僚《どうりょう》たち。〝今日はグリーンランド語よりも、デンマーク語の単語をはるかにたくさん覚えた。へとへとに疲《つか》れたよ……。〟

赤ん坊《ぼう》が言葉を習得するように

　言葉がさほど心配だったわけでは、実はない。何とかなるだろう、という生来ののんきさから来る、根拠《こんきょ》のない楽観があっただけだと振《ふ》り返ってみると思う。実際に引っ越してみて、めちゃくちゃ苦労したという記《き》憶《おく》も別にない。まぁ、それがのんきだということであろう。どちらかと言うと人見知りで、人としゃべるのは得意ではない。自分の思いが深くある話題には言葉がたくさん出てくるけれど、無口だといわれることが子供の時から多かった。人見知りだけれど、人が嫌《きら》いなわけではないから、黙《だま》って座っているのは全く苦にならない。考えてみれば、日本にいた時からにこやかに黙って座っていた時間が長いと思う。

　グリーンランドには子供の誕生日やクリスマスなどの祝い事の時には人が集まる習慣がある。そういう場によく行ったけれど、何もわからない会話が流れる中で、不満や焦《あせ》りを感じることもなく座っている自分がいた。これは赤ん坊が言葉を習得するのと同じプロセスだなぁ、などという感想を抱《いだ》きながら。でも、赤ん坊のような吸収力のある脳ではもはやないから、何倍も何十倍も時間がかかることはちょっと困りものである。

潮の満ち引きを感じる暮らし

今では、日常会話はグリーンランド語を使っている。日本へは、休暇《きゅうか》で帰ることはあっても、もう一度住む可能性は低いだろうと思っている。〝先進国〟に住みたいとは思わない。今の生活は、自然の一部として暮らしていけるバランスが残っているのが心地よい。

ここは、町と町が道路で繋《つな》がれているところは一つもない。海がグリーンランドのハイウエイである。車で走ると十分で道は終わってしまうけれど、ボートで出かければ、何千キロでも移動できる。家族の週末は、金曜の夕方にボートを出し、キャンピングカーのようにボートで寝《ね》泊《と》まりしながら、季節によって山菜摘《つ》み、魚釣《つ》り、トナカイ狩り、ベリー摘み、と自然の恵《めぐ》みを追いながら、海と山を楽しむ。

ここに暮らしていると、時間の流れ方が違う。太陽の動き、潮の満ち引き、動物の動きに合わせる生活が、今も色濃《こ》く残っている。自然界の一要素にしかすぎない私たち、共生という概念《がいねん》は日本にも強くある。子供の頃、生まれ変わったら鳥になりたい、大きな木になりたい、といった会話を交わしながら育った自分の東洋的な世界観がルーツにあると感じる。大人になって日本も海外も旅をするうちに、ここに住むようになったのは、自分にとって自然な流れだった。

言葉の壁《かべ》は、あっても小さい。間違いや誤解があっても心は通じる。壁があるとすれば、異文化を受け入れる扉《とびら》が開かれているか否《いな》か。きっとこれからも、ちょっと変なグリーンランド語を使いながら、のんきに暮らしていくのだろうと思う。

佐紀子ダオワナ Sakiko Daorana

学生時代、北海道のあちこちへ旅をする。二十歳からカヤックを習い、日本の川や湖を漕いだり、海外のシーカヤックのツアーに参加。東京で十七年間勤務の後、グリーンランドへ移り住む。観光局、航空会社勤務等を経て、現在は旅のコーディネートを行う。

〈Visit Greenland〉URL https://visitgreenland.com/

kutaa!《クター》

グリーンランド語はこんな言葉

エスキモー・アレウト語族に属する言語の一つで、カナダやアラスカのイヌイット語と深い関係がある。グリーンランド語には西部・東部・最北部の三つの方言があるが、広域で使われ、話者も多い西部のカラーッリスッと呼ばれる言葉が共通語となっている。文章の構成・語順が日本語と似ており、アジアにルーツを持つモンゴル系の民族のつながりが感じられる。

20

ハワイ語

英語、アジア系アメリカ文学、ピジン、そしてハワイ語へ
私のハワイ語学習遍歴《へんれき》

言語学者
古川敏明《ふるかわとしあき》

ハワイ語についてよく知らない人も、aloha《アロハ》という言葉は聞いたことがあるだろう。「おはよう」、「こんにちは」、「こんばんは」、「ありがとう」、「さようなら」、さらには、愛情まで表現できる万能な表現である。私がそんなハワイ語を学ぼうと一念発起したのは、異文化への憧《あこが》れや、英語への関心がきっかけである。

異文化との出会い

十四歳《さい》の時、区立中学校の生徒を対象にした海外派遣《はけん》事業というイベントの募集《ぼしゅう》があった。応募《おうぼ》すると、幸運にも派遣団に採用され、夏休みにシンガポールとマレーシアに行けること

になった。

現地の中学生やホストファミリーと英語や日本語で交流するという体験を通し、英語を話す人たち、日本語を学ぶ人たちが本当にいるんだと実感できたことが、その後の学習への取り組みに良い影響《えいきょう》を及《およ》ぼした。異文化との本格的な出会いがあったという意味で、これが最初の転機だった。

ハワイとの接点

英語圏《けん》のシンガポールとマレーシアに行ったことで、英語への憧れがあったし、高校の先生の励《はげ》ましがあったので、大学は文学部の英米文学専攻《せんこう》に進んだ。ところが、翻訳《ほんやく》を中心に代表的な作家をいくら読んでも、それらを追求したいという思いが湧《わ》いてこなかった。そんな自分の感性は文学者向きではなさそうだとがっかりしていた。

そんな状況《じょうきょう》で迎《むか》えた大学二年時に再び転機が訪《おとず》れる。文学部にはハワイ出身の日系三世ゲイル・サトウ先生がいたのである。ゲイル先生が担当していた「アジア系アメリカ文学」の授業に参加し、そこでジョン・オカダやギャレット・ホンゴウという作家たちがいることを初めて知った。そして、その作家たちの世界に強く共感したのである。

その後、他にも興味があった言語学を学ぶため、オーストラリアの大学に交換《こうかん》留学した。一年後に帰国した私がゲイル先生に留学先で学んだ言語について報告すると、似た言語がハワイにもあるというのである。これが決め手となり、（英語に似ていないこともないが英語ではない）ピジンと呼ばれる言語で書かれたハワイの日系作家の作品、ロイス・アン・ヤマナカによるSaturday Night at the Pahala Theatreを卒論で取り上げ、その後、ハワイの人口の半分ほどが解するともいわれるピジンの言語的側面を追求するため、大学院に進学した。

ハワイ大学に留学後もピジンを研究テーマとしたが、「ピジンの源流にある先住民語のハワイ語も知らないとね」という、もう一人の恩師、清水あつ子先生（明治大学名誉《めいよ》教授）の助言に後押《あとお》しされ、ポリネシア系の先住民語であるハワイ語を独習し始めた。これが第三の転機になる。

いわゆるフラダンスへの興味の延長として、ハワイ語について知りたいという人は珍《めずら》しくない。しかし、私の場合は「ピジンをより深く理解したい」という相当ニッチな動機から学習を開始したのである。

ハワイ語学習がスタート！

留学後は主に授業でハワイ語を学んだ。基礎《きそ》のクラスは毎日六十分程度の授業があった。こう書くと大変そうだが、授業に出るだけで予習・復習となり学習のリズムが作りやすかったし、日本にいる時から文法書で独習していたおかげで余裕《よゆう》を持って授業についていけた。下宿先から自転車で毎朝七時からの授業に向かっていたが、毎日がとにかく楽しかった。こんな生活を二年ほど続けていたと思う。

その後は、授業で扱《あつか》う内容の水準が上がり、週に一〜三回ほどの頻度《ひんど》になった。履修《りしゅう》者も先住民の言語文化を専攻する人しか残っていなかったが、さらに二年ほどハワイ語関連の授業を履修し続けた。

でも、教室の中でしかハワイ語を学ばなかったわけではない。膝《ひざ》まで泥《どろ》に浸《つ》かりながらタロ畑で作業したり、フラのレッスンに通ったり、様々なハワイアンのライブやコンサートに足を運んだ。

また、この頃《ころ》、フラの雑誌にエッセイを書くことになり、年に四回、原稿《げんこう》用紙十枚程度のエッセイを書いていた。帰国後も含《ふく》めると十年くらい続けたのだが、この期間、定期的にネタを集め、理解したことをまとめ、自分の見解も盛り込《こ》むという作業がハワイ語学習そのものだった。

さらに上達するために

入門レベルから上達するためには、人に教えることを前提として学ぶと一番身につくのではないだろうか。エッセイを書いたり、ハワイ語講座で教えたりすることは、結局、自分にとって一番勉強になっている。ある事柄《ことがら》について不明な点があれば、資料にあたって調べなければならない。つまり、目の前の小さな課題を解決することを繰《く》り返すことが良いのである。

また、私はハワイ語によるラジオ番組や新聞という既存《きそん》のリソースを研究に利用するという展望を持っていた。全ての技能をバランスよく伸《の》ばすというより、特定の番組を聴《き》いて理解するとか、特定の記事を読んで理解するというように、具体的な到達《とうたつ》点があったので、これも上達の手助けとなった。

言語学研究科のツワモノ達

おそらく読者の皆《みな》さんにとって、ハワイ語はマイナーな言語という部類に入るだろう。しかし、ハワイ大学の言語学研究科には世界の様々な言語を研究対象とするツワモノ達が集っていた。ハワイ語はむしろメジャーな言語、つまり、教科書や辞書などがすでに整えられているという意味で学びやすい言語だった。

いわゆる記述言語学をやる人たちは、文法書が存在しない言語をその言語の話者との共同作業で記述し、博士論文の一部として文法を書き上げる。フィリピンやその他東南アジア、パプアニューギニアなどの少数言語を学ぶ同窓生たちは、私とは違《ちが》う世界を生きていた。電気がない地域で調査する人は、ポータブルな太陽光発電器を持ち込み、ノートパソコンで作業していたそうである。

こうしたツワモノ達から学べることは、自分がやりたいことを集中してやりきるという姿勢が、気づいたら自分をどこか遠くに連れて行ってくれるということではないかと思う。「今」に完全燃焼しないと、やりたいことは見えてこないし、やりたいことを身につけ、深めることができない。この姿勢は何に取り組むにしても応用の効くスキルだと思う。

喜びをかみしめつつ、謙虚《けんきょ》に！

現在、私は研究を目的として、ハワイ語で書かれた十九世紀の新聞を読んでいる。当時のハワイには王国があり、日本よりも一足早く近代化が推《お》し進められていたので、膨大《ぼうだい》な量の資料が残っている。新聞にはハワイだけでなく、日本をはじめとする世界がどう見られていたかも書かれているのだが、そうした記述はハワイ語新聞でしか読めない。その大半はまだ研究されていない。だから、その内容を自分が知ることができるという喜びは格別である。

しかし、ここで冷静になる必要がある。ハワイ語には mahaʻoi《マハオイ》という単語がある。「でしゃばった」「無礼な」「あつかましい」というような否定的な意味で、自分のものでないものを自分の所有物かのように扱う態度を批判する表現だ。誰がその文化の所有者かというのは、ハワイ先住民（とその周辺の人々）にとって特に重要な問題である。

かつて独立国だったハワイだが、現在ではアメリカの州になっている。ハワイ語は世代を超《こ》えた継承《けいしょう》がされなくなり、消滅《しょうめつ》の危機に瀕《ひん》した。一九八〇年代以降、学校教育を通して、再活性化を目指す運動が続き、家庭の言語として用いられている事例もあるとはいえ、現在、ハワイ先住民でハワイ語を習得している人は限定的である。学習者は多く見積もって二万人で、この数字は数十万人のハワイ先住民系の一部に過ぎない。

だからこそ、私は研究活動を通し、なんらかの形でコミュニティに貢献《こうけん》したいと思っている。ハワイ先住民のための機会やリソースを奪《うば》うことなく、自らの関心に忠実に、できることを継続していけば、コミュニティにとって有用な存在になれるかもしれない。

ひたすらニッチを

ちなみに、ハワイ語の辞書を引くと、通常、見出し語のすぐ後に、英語で解説が書いてある。見出し語「アロハ」の場合は、イタリック体でAlohaと記されている。「アロハはアロハ」としか説明のしようがない、ということなのだが、なかなか茶目っ気たっぷりな解説である。

そんな解説に気がついて、くすっと笑うこともあるのだが、外国語学習の価値は結局、自分自身が意味を見出《みいだ》せるかということに尽《つ》きる。興味を持てないことはできないし、王道から外れるように思えることをひたすら追求したっていいのではないだろうか。知らない人がニッチとラベリングするだけで、ニッチなものは、言語・文化・人間とは何かという、普遍《ふへん》的な問題に繋《つな》がっている、ように私には思えるのである。

古川敏明

Furukawa Toshiaki

東京の下町、荒川区出身。明治大学文学部文学科英米文学専攻卒業。東京大学大学院総合文化研究科言語情報科学専攻修士課程修了。ハワイ大学マノア校言語学研究科博士課程修了。博士（言語学）。大阪大学、大妻女子大学を経て、現在、早稲田大学社会科学総合学術院准教授。多言語社会の会話研究、ハワイ学を軸に研究を行なっている。単著（電子書籍）に『ハワイ語の世界』がある。

aloha!《アロハ》

ハワイ語はこんな言葉

アメリカ合衆国ハワイ州の公用語。オーストロネシア語族のポリネシア諸語に分類される。もともと文字を持たない声の文化だったが、十八世紀末に西洋との接触《せっしょく》後、文字による記録が残され始め、十九世紀初頭には、キリスト教布教の宣教師により、アルファベットを用いた正書法が定められた。疫病《えきびょう》による人口減少や英語への関心の高まりから世代を超《こ》えた継承《けいしょう》が滞《とどこお》り、十九世紀末にハワイ王国がアメリカに併合《へいごう》されると、二十世紀にはハワイ語話者の減少に拍車《はくしゃ》がかかった。一九七八年に州憲法が修正され、ハワイ語が英語とともにハワイ州の公用語として定められた。その後、就学前児童を対象とするハワイ語での教育が開始されるとともに、公教育の中にハワイ語を教育言語とするプログラムが設立・拡充《かくじゅう》されていった。また、本文中「ピジン」の言語学上の名称《めいしょう》はハワイ・クレオール（Hawaiʻi Creole）という。十九世紀に、共通の言語を持たない話者の間で間に合わせのコミュニケーション手段として誕生し、現在ではハワイ州の人口の多くが、英語とともにハワイ・クレオールの二言語話者である。

21

フィジー語

南の島でコトバの調査をはじめるまで

国立民族学博物館
人類基礎理論研究部准教授
菊澤律子《きくさわりつこ》

大学に入って言語学を専攻《せんこう》したら、なにかひとつ、自分が研究したい言語を選ぶことになった。日本語とも英語とも違《ちが》うものをやってみたいな、と思って図書館にいくと、フィジー語の文献《ぶんけん》がいくつかあって、私はこれにしよう、と思った。ところが、フィジー語の単語はちんぷんかんぷんで、ちっとも覚えられない。ココナッツは「ニウ (niu)」、魚は「イカ (ika)」、この辺まではいいとして、ござは「インベ (ibe)」。えっ、「ござ」ってなに? 若いココナツの実は「ンブー (bū)」、ちょっと熟《う》れてきたら「ンローカイ (drōkai)」、古いココナッツの中に入っている白い食べ物は「ヴァラ (vara)」。さらに、ココナッツには「ンバーワラ (bāwara)」というものがあり、こちらには、「松明《たいまつ》につかう」と注釈《ちゆうしやく》がついている。ニウ、イカ、インベ、ンブー、ンローカイ、ヴァラ、ンバーワラ。繰《く》り返し覚えようとしても、ちっとも頭の中に入らない。そもそも「ん」って、単語の最初にこれないんじゃなかったっけ？　などと考えだすと、ますますだめになる。英語はずっと得意だったのに、フィジー語はどうしてできないんだろう？　子供向けの絵本ですら、何が書いてあるのかわからない。実際の発音が聞けないからかな？　そう思って大使館で日本に滞在《たいざい》しているフィジー語話者を紹介《しょうかい》してもらったけれど、電話で約束してもその人は待ち合わせの場所に現れず、そうこうするうちに三年が経《た》った。

当時はまだ海外旅行は一般《いっぱん》的ではなかったが、それでも大学院の二年生の時、調査のために初めてフィジーに行くことになった。自信がないまま成田を発《た》ち、真夜中に到着《とうちゃく》したのはよいものの、約束していたはずのホステルからの迎《むか》えはない。みかねた空港の職員が取り残されていた私を宿舎まで送り届けてくれた。ところでフィジーには、四〇〇くらい島があって、全部合わせると四国くらいの大きさになる。その半分に人が住んでいて、島ごとに言葉が違っていたり、島の中でも違っていたりして、方言は約三〇〇あるといわれている。つまり言語調査の対象が三〇〇もあるのだ。首都在住の研究者を訪ねて相談し、カンダブという名前の島を調査地に決めた。一三人乗りのおもちゃみたいな飛行機に乗って三〇分、到着した島の「飛行場」はただの原っぱで、そこから歩いて一時間くらいの村で初めてのフィジーでの生活がはじまった。

村にはガスや電気はなく、まるでガールスカウトのキャンプみたい。川で洗濯《せんたく》し、畑に食べ物を獲《と》りに行って、火をおこして調理する。魚が欲しければ海に行く。魚はみんな熱帯魚だ。水族館で見たカラフルな魚が海を泳いでいて、それを捕《つか》まえて食べる。日本とは気候が違うから、植生も違っていて、ココヤシやタロイモ、パンノキなどが生い茂《しげ》っている。トイレは家の外。夜中に外に出たら真っ暗で満天の星で、でも南半球だからなんだか違う。そこに、あそこにひとつ、ここにひとつと流れ星。そしてその風景の中で、覚えても覚えても身につかなかった単語に、どんどん命が吹《ふ》き込《こ》まれていった。

「ござ」という訳がついていた「インベ」とは、パンダナスの葉で編んだマットのこと。フィジーの家ならどこにでも床《ゆか》に敷《し》いてある。マットを編むのは女性の仕事で、材料になるパンダナスはそこらじゅうに生えており、キエ（kie）と呼ばれる。一〇センチくらいの幅《はば》で長さが二メートルくらいある薄《うす》くて長い葉が地面から重なるように生えていて、背の高いフィジー人と比べても、まだうんと大きい。その葉の一本一本を根元で刈《か》り、束ねて巻き、茹《ゆ》でて、乾《かわ》かす。乾いて縮《ちぢ》んだ葉を一枚一枚、大きな貝の殻《から》の端《はし》をつかってまっすぐに伸《の》ばし、次に小さな貝のかけらを使って用途《ようと》にあわせて一センチから二・五センチくらいの幅にそろえて縦に切る。これが編むための材料となる。工程にも道具にも、ひとつひとつに名前がついていて、大きな貝の殻はワールイ（wālui）、小さな貝のかけらはイトジ（itoci）。あんなに覚えられなかったフィジー語の単語が、ものに関する知識と一緒《いっしょ》にどんどん頭に入っていく。そして増えていく単語とともに、私は、村の人とパンダナスを収穫《しゅうかく》して、茹でて、乾かして、伸ばして、切って、そして少しだけ端っこのほうを編ませてもらえるようになった。私が編んだところは上手にできてはいないのだけれど、誰《だれ》も気にしない。

「ニウ」と呼ばれるココナツのことも、いろいろわかってきた。ココナツの実は子供の頭より大きくて重い。そして成長段階によって利用方法が違う。緑のココナツは、中に水（いわゆるココナツジュース）が入っていて飲むことができる。それが「ンブー」。ンブーはまだ若い実なので、欲しければ木に登ってとってこなくてはならない。実が熟すと茶色くなって、やがて自然に落ちてくる。この段階が「ンローカイ（drōkai）」。重いものが高いところから落ちてくるので、とても大きな音がするし、下にいると危ない。ンローカイは、ンブーとは違って中の水はほとんどない。そのかわりに胚乳《はいにゅう》が育って、殻の内側が厚さ一センチくらいの白くてかたいものに覆《おお》われている。この部分を削《けず》ると、日本でお菓子《かし》などにかけてある「ココナツ」になり、削ったものを水と合わせてしぼるとココナツミルクがとれる。この茶色いココナツを放っておくと、そのうち乾燥《かんそう》して古くなる。この段階で割ってみると、殻の内側に胚芽《はいが》が育って、ふわふわの綿みたいな「ヴァラ」で満たされている。甘《あま》くてやわらかいのでおやつに良いが、脂肪《しぼう》分が多くて食べ慣れていないとお腹《なか》をこわすから、子供や私に与《あた》えるときには要注意。そしてわけがわからなかった「ンバーワラ」は、実とは関係がないと知った。ココヤシの花芽は、角《つの》のような形をした鞘《さや》の中で成長する。この「角」は、最初は小さいが、二年かけて七〇～八〇センチくらいの長さになり、最後は縦に割れて中から花が出てくる。割れた鞘はやがて枯《か》れて落ちてくる。これが「ンバーワラ」だ。繊維《せんい》質で、長くて目が詰《つ》まっているので、辞書に書いてあったように火付けや松明として使う。

ニウ、イカ、インベ、ンブー、ンローカイ、ヴァラ、ンバーワラ。それは、ずっと手に握《にぎ》りしめていた、ぼやけた白黒写真のピントが突然《とつぜん》合い、色がついたようだった。そこには青い海があって、やしの葉がしげっていて、茅葺《かやぶ》き屋根の家があって、絵はがきのような風景だけれど、登場するひとつひとつのものには奥《おく》行きがあって、そこにたくさんの単語と人の生活があって、動いている。そしてその風景の中で、ものの名前が次々と舌の上で踊《おど》り出す。覚えられないと思っていた単語は、ちゃんと頭の中にあった。でも、現地での暮らしがあまりにも日本のと違っていたから、行くまでは意味がうまく結びつけられなくて、そこでじっとしていたんだ。絵本を読んでもわからなかったのは、背景となる現地の生活のことをまったく知らなかったからだったんだ。

いったん言語が使われているところに入ってしまえば、こちらのもの。単語や表現がわからなくて、えーっと…、と行き詰まっていると、周りの人が「○○のこと？」と聞いてくれる。そのときには、表現と意味、そして文脈がしっかり結びついているから、すぐに覚えられる。少しずつ言葉が話せるようになると、物の名前や使い方だけでなく、文化や習慣のこともわかるようになってきた。そして、連絡《れんらく》なく待ち合わせの場所に来ないのには、文化的な背景があると知った。フィジーの村では、通信手段がない。つまり、都合が悪くなっても、相手に知らせるすべがないから、当日現れなければ、なにか都合が悪くなったのだと理解するのがお互《たが》いの諒解《りょうかい》だ。

現在では、テレビで連日、世界のさまざまな地域の風景が映し出されるようになり、インターネットで検索《けんさく》するだけで、いろいろな情報が得られるようになった。海外に行くことは、きっともう、昔のようなあこがれではないのだと思う。でも、「ンブー」から直接飲むココナツジュースの味、ふわふわした「ヴァラ」をはじめて手に持った感触《かんしょく》、おそるおそる食べてみる私をおもしろそうに、でもちょっと心配そうに、見守ってくれる村の人たちの顔。それは、どんなにテレビやインターネットの中をのぞいても、ないんじゃないかなぁ。

その後、何度もフィジーに行き、南の島での暮らしもフィジー語も、私にとっては珍《めずら》しいものではなくなってしまった。そして時々、初めて村に行った時のことを思い出し、これから新しい言語に挑戦《ちょうせん》する人たちのことをちょっぴりうらやましく思うのである。

菊澤律子　Kikusawa Ritsuko

大阪の国立民族学博物館で言語の研究に携わる。東京大学（文学修士）、ハワイ大学（Ph.D., Linguistics）修了。これまで、フィジー、ヴァヌアツ、フィリピン、マダガスカルなどで現地調査を行い、オーストラリア、オランダ、台湾で客員研究員を務めた。最近は、地理情報システム（GIS）を利用したフィジー語方言データの分析や、音声言語と手話言語の共通点と違いにも関心を持っている。趣味でフルートやピッコロを吹く。

Bula!《ンブラ》

フィジー語はこんな言葉

南太平洋のフィジー諸島共和国で話されている言葉。ヒンドゥスターニー語、英語とともにこの国の公用語。オーストロネシア語族・オセアニア諸語に属する。何百もの島々からなるフィジー諸島には、ンバウ語、ラウ語、ナンロガー語など様々な方言が存在し、標準フィジー語はこのうちンバウ語が基盤《きばん》となっている。基本文型は日本語と正反対のＶＯＳ（動詞・目的語・主語）だが、母音は日本語と同じ「a, e, i, o, u」の五つで、日本人には比較《ひかく》的聞き取りやすく、発音しやすいとされる。

22

奄美《あまみ》語

言語が消滅《しょうめつ》するということ

方言学者
木部《きべ》暢子《のぶこ》

私は、全国各地のことばの調査をして、言語の記録を作成したり、地域のことばをもう一度活性化させたりする活動をしています。特に、鹿児島県の奄美諸島や沖縄県の島々へよく行きます。それは、奄美・沖縄では、伝統的なことばの衰退《すいたい》が激しくて、このままだと近いうちにこれらが消滅してしまう可能性が高いからです。ユネスコ（国連教育科学文化機関）は二〇〇九年に、世界に六〇〇〇から七〇〇〇ある言語のうち約二五〇〇が消滅の危機にひんしていると発表しました。奄美・沖縄のことばも、二五〇〇の中に入っています。ユネスコの話は、またあとですることにして、まず、奄美・沖縄のことばがどのようなものか、紹《しょう》介《かい》しましょう。

奄美のことばの調査

私が奄美へ最初に行ったのは、今から三〇年前のこと、場所は奄美大島でした。そのとき私は、島のことばがまったくわかりませんでした。島に着いた日に、島の方々が歓迎《かんげい》会を開いてくれたのですが、その挨拶《あいさつ》で私が聞き取れたのは、「かごしまだいがく」「きべせんせい」という固有名詞だけでした（当時、私は鹿児島大学に勤めていました）。おそらく、「今日は鹿児島大学から木部先生が来てくれた。みんなで楽しいひとときを過ごしましょう」というようなことを話されたのではないかと思いますが、私にはまるで外国語のようでした。

次の日から方言の調査です。外国語のような奄美のことばをどうやって調べるかというと、調査には決まった手順があって、まず最初は、基本的な単語を聞いていきます。たとえば、「頭、髪《かみ》の毛、目、鼻」など体の語彙《ごい》や「空、雨、風、雲、霧《きり》」などの自然を表す語彙、「今日、昨日、明日」のような時間を表す語彙、「前、後ろ、右、左」のような空間を表す語彙など、日常生活でよく使われる語彙を一つ一つ聞いていきます。「頭のことを方言で何と言いますか？」「空は？」「今日は？」「前は？」といった具合です。こうやって調べていくうちに、だんだんと、規則のようなものが見えてきます。

たとえば、「目」は奄美のことばでミー、「空」はティン（「天」という語で「空」をあらわします）、「風」はカディ、「雲」はクム、「今日」はキュー、「昨日」はキヌと言います。案外、日本語と似ています。またmeとmi（目）、tenとtin（天）、kazeとkadi（風）のように共通語のeが奄美ではiになっていること、kumoとkumu（雲）、kyoとkyu（今日）、kinoとkinu（昨日）のように共通語のoが奄美ではuになっていることもわかってきます。そうすると、がぜん調査が楽しくなってきます。こうやって、六〇〇くらいの単語を聞いていくと、最初は全然わからなかった奄美のことばが少しずつわかってきて、日本語との関係も何となく想像できるようになってきます。

じつは、奄美・沖縄のことばと日本のことばは、同じ親から生まれた姉妹言語で、遠い昔（奈良時代より前）、別れ別れになったのだと言われています。現在では、外形（発音）がかなり違《ちが》ってしまったので別人（外国語）のように見えますが、一つ一つ紐解《ひもと》いていくと、姉妹であることがわかってきます。では、親はどのような姿をしていたのか。このような疑問も湧《わ》いてきます。

言語の消滅の理由

このように、奄美・沖縄のことばを知ることは、日本語にとっても新しい発見に繋《つな》がる可能性があるのですが、その奄美・沖縄のことばがいま、消滅の危機にひんしています。先に述べたように、このことを具体的な形で最初に示したのはユネスコです。ユネスコの二〇〇九年の発表によると、奄美・沖縄のことば以外にアイヌ語、八丈《はちじょう》語も消滅の危機にある二五〇〇の言語の中に入っています。しかし、消滅の危機にあるのはこれだけではありません。本土の多くの方言も近いうちになくなってしまいそうな状況《じょうきょう》です。なぜ、このようなことになってしまったのでしょうか。

世界的に見ると、言語の消滅は、戦争に負けて征服《せいふく》者の言語を使わざるを得なくなったとか、移住のために移住先の言語を使わざるを得なくなったなどの理由で起きることが多いのですが、現在、日本で起きている言語の消滅は、そのような理由ではありません。では、どのような理由で起きているかというと、「地域のことばを使っていると差別される」「地域のことばは悪いことばだから使ってはいけない」といった言語意識により引き起こされている部分が大きいのです。実際、奄美・沖縄のことばは、つい二〇～三〇年くらい前まで価値を認められず、それを使うことによって人々は差別を受けてきました。学校教育でも方言は悪いことばだから使ってはいけないという教育が行われました。

奄美や沖縄には「方言札《ほうげんふだ》」というものがありました。方言を使った子どもに罰《ばつ》として下げさせた札です。札の形と使われ方は、学校によって異なります。たとえば、「方言」と書かれた札がクラスに一枚あって、方言を使うと別の子どもが方言を使うまでこれを首から掛けておかなければならなかったという学校や、紐が付いたスチール制の赤く丸い札がクラスに何枚もあり、方言を使った子はこの赤い札を一日中、首に掛《か》けて授業を受けなければならなかったという学校などがあります。このような教育が「方言は悪いもの」という意識を子どもたちに植え付け、子どもたちは方言ではなく、共通語を使うようになったのです。

この意識は、子どもたちが大人になっても変わりませんでした。そのため、この世代の子どもたちは、自分が親になったとき、自分の子どもに方言を教えないという選択《せんたく》をしたのです。現在は多少、「方言は悪いもの」という考えが緩《ゆる》んではきましたが、それでも方言を積極的に子どもたちに教えようとする大人は稀《まれ》です。こうやって、地域のことばがいま、消滅しようとしています。

言語の多様性が必要なわけ

ここで考えておかなければならないのは、地域のことばを守ることがなぜ必要かということです。地域のことばがなくなっても、みな共通語が話せますから、困ることは一つもありません。それなのに、なぜ、地域のことばを守る必要があるのでしょうか。

先にみたように、奄美のことばは聞いただけではほとんど理解できないけれども、一つ一つ紐解いていくと、日本語に対応していることがわかってくる、そんな言語でした。このように、違いがあれば、比較《ひかく》して似ているとか似ていないとか考えることができます。なぜ、似ているのかも考えることができます。しかし、違いがなければ、そのようなことは考えることもありません。奄美で経験した、少しずつ謎《なぞ》が解けていくわくわくした感じを味わうことができなくなるのです。それは人間として、とても重要なものをなくしてしまうことなのではないでしょうか。

今ならまだ、言語の消滅を食い止めることができます。次の世代、五〇年後の世代、一〇〇年後の世代に言語の多様性という大切な財産を残すかどうかの鍵《かぎ》は、現在の私たちが握っているのです。

木部暢子

Kibe Nobuko

国立国語研究所・教授／副所長。一九五五年、福岡県出身。九州大学大学院修士課程修了、博士（文学）。鹿児島大学教授を経て二〇一〇年から現職。専門は言語学、日本語方言学。二〇一〇年から消滅危機言語・方言を記録・保存するためのプロジェクトを主催。著書に『そうだったんだ！日本語　じゃっで方言なおもしとか』（岩波書店）、『西南部九州二型アクセントの研究』（勉誠出版）、共著書に『方言学入門』（三省堂）、『方言の形成』（岩波書店）、『日本語アクセント入門』（三省堂）などがある。

原宿の住宅街から代々木方面を望む
夕暮れ時。（日本、東京）

23

日本語

あなたの声で、あなたの物語を

映画コメンテーター／タレント
LiLiCo《リリコ》

「海外セレブへのインタビュー、なぜそんなに堂々としていられるの？」

「緊張《きんちょう》、しないんですか？」

レッドカーペットを歩くハリウッド映画スターや監督《かんとく》たちに、果敢《かかん》にアタックしてコメントをもらう私の姿を見た方々から、こんな風によく聞かれます。

スウェーデン人の父と、日本人の母の長女として、私はスウェーデンの首都ストックホルムで生まれました。日本で暮らすおばあちゃんが送ってくれるアイドル雑誌を眺《なが》めたり、レコードを聴《き》いて歌手に憧《あこが》れていたけれど、雑誌に書かれた日本語は何ひとつわからない。私にとってはまるで暗号のようでした。

小学校のクラスでは、内気で無口。授業中、先生の質問に正解がわかっていても手をあげないような子だったけれど、そんな私がみんなの前で歌を歌った時、「あなたは、芸能人になる人だね」と声をかけてくれた先生がいました。自分のことを認めてくれた嬉《うれ》しさと、なぜ？という不思議な気持ちに包まれたのを覚えています。

「日本に行って、歌手になりたい」

それが当時の私の、唯一《ゆいいつ》の未来予想図でした。一八歳《さい》で母親の反対を押《お》し切り、日本にやって来ると、おばあちゃんの住む東京・葛飾《かつしか》に身を寄せました。お金も、日本語の語学力も、気持ちよいくらいゼロからのスタート。おばあちゃんが何を言っているかもわからなかったけれど、食事や散歩、一緒《いっしょ》にいる時はいつでも、私にずっと話し続けてくれました。

おばあちゃんが見つけてくれたお弁当屋さんでアルバイトをしながら、オーディションを受ける日々。そんななか、ひそかに楽しみにしていたのが昼休みに見るタモリさんの『笑っていいとも！』でした。ゲストとのトークやクイズなど、コーナーがテンポ良く変わり、旬《しゅん》の人たちも登場するこの番組は、私にとって日本語を学ぶ格好の教材。おばあちゃんと『いいとも！』のおかげで、数ヶ月した頃《ころ》には片言ながら日本語の文章を話せるようになり、ひらがななら何とか読めるようになっていました。

＊　＊　＊

オーディションをきっかけに事務所に入ってしばらくは、事務所の先輩《せんぱい》の付き人や、全国各地での営業活動など、いわゆる〝下積み〟の時期で、夢中のうちに日々は過ぎていきました。歌詞を見ながらの歌のレッスンは、漢字を覚える絶好の機会。飲食店での接客は、会話のキャッチボールをする経験値を上げてくれました。スウェーデン時代、すでに日常会話は困らなかった英語も、六本木のバーでネイティブの方と会話を重ねて磨《みが》きをかけました。
「ずっと前からテレビで見ている気がする」とよく言われますが、日本に来て二十二年、芽が出てからはまだ八年ほどです。「王様のブランチ」の放送作家が、私の映画に関するコメントを目に留めて、映画コメンテーターに抜擢《ばってき》下さったことがきっかけでした。

インタビューアを任されるようになった時、ジョニー・デップやトム・クルーズといった俳優達が目の前に座るたびに緊張していました。でも、私がここで緊張しても仕方ありません。英語も日本語も自分にとって母語ではないけれど、それを駆使《くし》して私が何を聞いて、届けられるかが仕事です。もっと言うと、大物俳優やセレブに取材することより、喋《しゃべ》らないことで有名な人の話を引き出せるか、同席した番組ディレクターがこのインタビューをどの程度「使える」と思ったか、私にとってはそちらの方が死活問題です。コアな映画ファンなら、海外の映画情報サイトを見て、自分で見るべき映画を選ぶでしょう。でも私が届けたいのは、そこまで映画に詳《くわ》しくない、映画も音楽も本も、同じように好き…という、ごく一般の方々です。

いまだ影響力《えいきょうりょく》のあるテレビというメディアで、映画の情報が数分でも流れることは、集客にも大きく影響します。ハリウッドスターもそれがわかっているから、伝え手である私の前で立ち止まり、本人の言葉で語り、冗談《じょうだん》の一つも言ってくれる。冒頭《ぼうとう》の質問に戻《もど》ると、その意味では大スターも聞き手も対等な関係なのです。ただしその分、こちらの技量も厳しく問われます。

日本語を一八歳から覚えた私だから、他の人が何をどう喋っているのか、いつも意識して聞いていています。口調やスピード、声のトーンや強弱。生放送で時間が余れば、話のネタが少なくても膨《ふく》らませて時間通りに終える、あるいは反対に短くまとめる技術。事前収録した自分のオンエアを見て、実際に話した言葉と字幕テロップが違《ちが》えば、言い間違えていたな、と改めます。ちょっと早口だな、落ち着いて端折《はしょ》らずに話そう、もっとここで話せればよかったな、なぜスムーズに切り返しができなかったんだろう……寝《ね》不足だったり、予習不足だったり、自分にしか通じない説明になっていたり、原因を探して改善していきます。私にとって言葉は何語だろうと、人と関わるために、そこになくてはならないものだからです。

『幸せなひとりぼっち』という映画を撮《と》った、スウェーデンのハンネス・ホルム監督《かんとく》とトークショーをした時のことです。原作の小説が超《ちょう》ベストセラーだったため、相当な緊張があったのではと、私は彼《かれ》に尋《たず》ねました。ところが彼の答えは「プレッシャーはなかったよ」と。続けてこう付け加えました。「僕《ぼく》のことを、ＬｉＬｉＣｏに喩《たと》えてみよう。あなたは映画を観《み》て、その魅力《みりょく》を誰かに伝えるのが仕事だよね。例えばその相手が僕だったとしよう。あなたは自分が心を動かされた作品について話す時、はたして映画のあらすじを話しているのだろうか……？　そうではなくて、あなた自身の話をしているんじゃないかな」と。

「私」がこの映画をどう感じたか、私の話をしている。だからまだ観てもいない映画に対して、相手の心が惹《ひ》かれるんだ、と彼は教えてくれたのです。

彼の話に戻ると、『幸せなひとりぼっち』は、映画の中に彼自身のお母さんの物語を入れたのだそうです。だから原作はあるけれど、彼の中に軸《じく》が作られ、それが彼を最後まで導いてくれたのだと。

たくさんのスターと会ったけれど、彼の話は強く記《き》憶《おく》に残っています。

＊＊＊

日本に来て、魅力的な先輩方から多くを学びました。試行錯誤《さくご》するなかで、今の自分の生き方ができたわけです。

今は情報の流れるスピードも、サイクルもとても速い時代です。例えばオリンピックのメダリストやスポーツ選手が引退してバラエティ番組に出ても、三年を過ぎた頃には自分から発信しないとこの世界で生き残るのは難しい。コメンテーターとして活躍《かつやく》されている方々は非常に限られています。どんなに勉強しても、自分の心で話さないと、相手の心に響《ひび》く言葉が出て来ないんです。だからいつも、色々なことを感じて生きてほしいです。

そして例えば違う国の人と話す時には、少しでも相手の言葉で話してみると、距離《きょり》がぐっと縮まります。挨拶《あいさつ》だけでも、ありがとう、だけでも十分。それは相手を尊重しているよ、受け容《い》れているよ、というメッセージでもあります。

生きている限り、目の前に一人の人間が座った時、その人に対して何も聞きたいことが浮《う》かばないなんてことは、ないんじゃないかと思います。人が生きる以上、人との関わりは欠かせず、そこに掛《か》け替《が》えのない出会いや関係が生まれます。使える言語が増えれば、その分、あなたの世界も確実に広がっていくはずですから。

LiLiCo

映画コメンテーター、タレント。スウェーデン・ストックホルム生まれ。スウェーデン人の父と、旅行中に出会った日本人の母を持つ。一八歳で来日、一九八九年から芸能活動をスタート。TBS「王様のブランチ」の映画コーナーに出演するほかフジテレビ「ノンストップ!」、J-WAVE「ALL GOOD FRIDAY」などにレギュラー出演。声優やナレーション、女優などマルチに活躍する。

日本語はこんな言葉

こんにちは！

日本国内、約一億二千万人に使用されている言語。日本の公用語としての規定はないが、公用文などの文書は日本語で記述されている。中国から借用した漢字と、漢字を母体として成立した仮名《かな》との併用《へいよう》で表記される。母音はi、e、a、o、uの五つ。基本語順はＳＯＶだが、語順を変えても省略しても意味は通り、また敬語など複雑な待遇《たいぐう》表現がある、といった特《とく》徴《ちょう》をもつ。話者数は比《ひ》較《かく》的多い反面、日本語が話されているのはほぼ日本という狭《せま》い地域に限られている。一方、地方ごとに豊かで多様な方言がある。

24
おいテメェ!
今何つったァ!?
まんが ツッパリ言語道!!
—外国語学習編—
ひィ…! だ、だから、ら抜《ぬ》き言葉は間違《まちが》った日本語だって……
あぁん!?
じゃあなんで〈可能〉の意味でしか使えねぇんだよおかしいだろォ!

ら抜きは言い間違えじゃなくて使い分けがあんだよォ!
分かった!ボクが悪かった!だからもう放してくれ!
ひぃ
オレの名前は母《ぼ》語《ご》修《おさむ》
不良だったオレはひょんなことから言語学者に命を救われコトバの面白《おもしろ》さに興味を持つようになった
言語道断
非文上等
まったく軟弱《なんじゃく》な奴《やつ》だ……

はい 席についてください
授業を始めますよ
あー 中国語の
特別授業とか
ダリィなぁ……
ちゃんとノート
とらねぇと…
・第一声（高く平らに）
・第二声（上昇調で）
mā（妈）＝お母
má（麻）＝アサ
えー
このようにー
中国語は
〈四声《しせい》〉と呼ばれる
音の高低で単語を
区別しており——
ああん!?

中国語では同じma《マー》という音でも〈四声〉が違えば別の単語になるのか……
tara…
日本語とはずいぶん違うじゃねぇか
……！
それからみなさん喜んでください
＊中国語には活用ナッシング
＊日本語にある
なんと中国語には基本的に語形変化がありません
つまり日本語の活用にあたるものを覚えなくてもよいのです！
なっ
何だって！？

活用が……
ない……!?
gata
gata
おい
セン公!
ga?
活用がないってどういうことだよ!!!?
今すぐ説明しろ!!!
待ちなさい!
これから説明をするから!
[redacted]

ヤンキーが教える！ いろいろな言語のタイプ

■孤立《こりつ》語——中国語、タイ語、ベトナム語など

日本語に活用があることは、ヤンキーでも知っている。だが、さすがのオレもまったく活用がない言語がこの世にあると知ったときには、思わずブルっちまったぜ。孤立語ってのは、「基本的に単語が語形変化をせず、孤立した形で文の中に置かれる言語」のことで、中国語なんかがその代表だ。例えば、中国語で「愛する」は「爱《アイ》」と言うらしいが、「愛さない」＝「不爱《ブーアイ》」と言っても、「愛すれば」＝「如果爱《ルークォアイ》」と言っても、「爱」の語形はビクともしてねぇ……！　対応する日本語が「愛さ（ない）／愛すれ（ば）」と活用しているのと全然違《ちが》うじゃねぇか！　どうやら孤立語に分類される言語では、語順によって文法的関係が表されるみてぇだな。

■膠着《こうちゃく》語——日本語、韓国《かんこく》語、トルコ語など

うおぉ！　じゃあ日本語はどうなってんだコラァ！？……落ち着けオレ。日本語は膠着語とかいう小難しい分類名で呼ばれているらしい。膠着語ってのは、「ある単語に対して、文法的な意味を表す要素があたかも膠《にかわ》で着けたかのように続いていく言語」のことだ。日本語の「愛されなかったのです」って表現は、「愛さ・れ（受身）・なかっ（否定）・た（過去）・の（名詞化）・です（断定）」というふうに分けられるが、「愛する」の後ろに文法的意味を表す連中がぞろぞろくっついてきてるだろ？　チームの頭《ヘッド》に文法的意味を表す舎弟が継《つ》ぎ足されるように加わっていくのが膠着語の特徴《とくちょう》だ。

■屈折《くっせつ》語——ラテン語、ギリシャ語、サンスクリット語など

オレたちにとって一番やっかいな英語なんかは、普《ふ》通《つう》は屈折語とやらに分類されるようだ。屈折語ってのは、「単語が文法的意味を表すために屈折（＝語形変化）を起こし、しかも変化した部分を取り出すことができないような言語」のことだ。日本語の「恋《こい》に落ちる」に対する「恋に落ちた」という表現では、「〜た」が過去を表わしていることがイッパツで分かる。だが、英語の「fall in love」に対する「fell in love」はどうだ？ これじゃあどの部分が過去の意味を表しているのか分からねぇじゃねぇか！ 屈折語では、こんなふうに文法的意味と語形変化がアツい絆《きずな》で結びついているんだ。

■輯合《しゅうごう》語（抱合語）――アイヌ語、エスキモー語、アサバスカ語など

もう一つ、輯合語って分類が立てられることもあるみてぇだ。輯合語ってのは、「一単語にさまざまな文法的意味を表す要素が輯《あつ》め合わせられることで、文に相当するような意味を表せる言語」のことだ。日本のアイヌ語も輯合語と分類されるらしい。「私があなたに与《あた》える」って日本語には、「私（が）」と「あなた（に）」という名詞が現れてるよな？ だが、対応するアイヌ語の「a-e-kore」には、どこにもそんな名詞は見当たらねぇ。代わりに、「与える（＝kore）」という動詞に一人称《にんしょう》主語を表す「a-」と二人称目的語を表す「e-」がくっつくことで、同じような意味を表してやがる。要するに、アイヌ語みたいな輯合語では、動詞の語形変化（活用）だけで文のような意味が表せるってことだ。

■すべての言語を分類できるか？

世の中には、シロクロつけられねぇことがたくさんある。言語も同じだ。ある言語が一つの分類にすっぽり収まるとは限らねぇんだ。日本語の名詞はほとんど語形変化をしねぇ。これは孤立語みたいな特徴じゃねぇのか？ それから、普通は屈折語に分類される英語の「walk」は、同じ形で「歩く」という意味の動詞としても、「歩行」という意味の名詞としても使える。これも孤立語みたいな特徴と言えるんじゃねぇのか？ おまけに、規則変化動詞「walk」の過去形「walked」は、「-ed」という部分が過去の意味を表しているようにも見えるから、まるで膠着語みたいだろ？ 言語ってのはな、こんなふうにいろんな文法的特徴をあわせ持ってるモンなんだよ。

世の中には
まだオレの知らない
コトバの世界が
あるってことか……
ふんッ
おもしれぇ！
これから
どんどん
のし上がってやるぜ！
コトバをめぐる
母語修の物語は続く…！

竹輪大学大学院言語学研究室

言語学を専門とする若手研究者によるサークル。某国立大学で博士号を取得後、国内の大学、研究機関で言語学の研究に勤しむかたわら、同人活動として言語学を専攻する大学院生のハラハラドキドキのラブ・コメディ『竹輪言語研究』を執筆している。

25

多言語

僕《ぼく》の名は

言語学者
吉岡乾《よしおかのぼる》

《tay《タイ》 nom《ノーム》 “mančhí”《マンチ》 dek《デク》 day《ダーイ》》（あなたの名は『マンチ』にしよう）

そう、彼女《かのじょ》は僕に言った。

二〇一九年一〇月六日。ここバラングルー村に来たのは、これが三回目。村に来てから六日が経っている。

いつもどおりに村長さんの家で、四世代にわたる老若男女の一家団欒《だんらん》に交じって、夕飯のレンズ豆とオクラの煮《に》込《こ》みを食べながら雑談していた中で、冒頭《ぼうとう》のように長女Gが、カラーシャ語で、そう「宣言」したのだ。

〇八年、一六年に続いての訪問で、合計すると一ヶ月以上はこの家の世話になっている。

正確には、向かいに建っている村長の経営するゲストハウスに寝泊まりしているのだが、食事は村長邸《てい》で、彼《かれ》らと一緒《いっしょ》に、彼らと同じものを頂くのだ。

長女Gは僕より少しだけ歳《とし》若く、一週間滞在《たいざい》した最初の訪問時はほとんど話さなかった。三週間滞在した二度目の訪問時も、せいぜいが二言三言程度しか話さなかったと思う。だが、今回の一〇日間ほどの滞在に際しては、ちょくちょく話しかけてくるようになっていた。僕が研究者だということは当初から彼女も知っていたのだろうけど、具体的に何語の研究をしてきているのかは、一一年後のこの日の昼に、ようやく知ったはずである。

Gの発したそれは、僕に対して言っているようでもあったが、確かに、家族全員への宣言だった。

与えられた綽名《あだな》、マンチ。綽名を与えられるということは、家族的に、あるいは民族的に、身内として認めてもらえたということに等しい。だけどそれは、カラーシャ語ではなくカティ語での、「男」という意味の単語であった。

翌七日、朝飯はいつも通り、目玉焼きと胡桃《くるみ》パン。次男の奥《おく》さんと三男の奥さんが、こちらも、日に日に話しかけてくるようになっている。僕がカラーシャ語で作文できる射程を毎日伸ばしているからだろうか、それとも、綽名が付いたからだろうか。パキスタンはほとんどがムスリム（イスラーム教徒）なので、相手が女性となると僕は自然と距離《きょり》を取ってしまう。独自の信仰を持っているカラーシャ人なので気にせずとも構わないはずなのに、長年パキスタンに来ていて、もう身に染《し》み付いてしまっている習性なのだ。だから、女性に話しかけられるとまごまごしてしまう。

今日は友人との約束があったので、朝食後に村を出発、谷の奥を目指した。バラングルー村から、ルンブール谷の一番奥のクニシト村までは登り坂を徒歩で一時間。もう何度も通っているので、慣れたものだ。

先日の訪問では、突然《とつぜん》の霰《あられ》に見舞《みま》われてひどく寒い思いをしたが、今日は日当たりも良く、気温も16℃ほどはあろうか。薄手《うすで》の上着の中は、じっとりと汗《あせ》で蒸れていた。風や水分を通さない素材のこのジャケットは、風雨に強く温かい反面、汗でびしゃびしゃになるのが欠点だ。

クニシト村に差しかかると、見知らぬカタ人たちの、余所者への冷たい眼が刺《さ》さりだす。カラーシャ人の村へと訪《おとず》れる国内外からの旅行者たちも、基本的にここまでは上がって来ない。カタ人が全員ムスリムだから、文化的に下界と大差ないとでも思われているのだろうか。

一定の距離を取ったところから、じっと値踏《ねぶ》みするかのような不躾《ぶしつけ》な視線が嫌《いや》になり、聞かせるには少し大きめの声を張りあげる。

《uḍgė́sãã, kɛ́šsə̃ə̃?》《ウドゲサーン ケエシサーン》（やぁ、調子はどうだい？）

見慣れぬ異邦人《いほうじん》である僕が自分たちの民族語であるカティ語を発したのを見て、ぽかんとした若者。その隣《となり》にいた子どもらは、驚《おどろ》いて逃《に》げて行った。だが、彼らの近くにいた老人は、おもむろに歩み寄って来て、親戚《しんせき》に会ったかのように相好《そうごう》を崩《くず》し、手を握《にぎ》ってきた。さらに、採りたての胡桃《くるみ》を幾《いく》つも、僕のポケットに捩《ね》じ込《こ》む。今は胡桃の収穫《しゅうかく》期だ。嬉《うれ》しそうに笑い、老人は言った。

《tu imóstə wərí aajóa》《トゥ イモスタ ワリ アージョア》（お前は我々の言葉を話すのか）

この日、僕は友人Iの家に泊《と》まりがけで調査に来たのだった。少なくとも今世紀最初の、クニシト村に宿泊《しゅくはく》した外国人になったのではないかと思う。もしかしたら史上初かもしれないけれど、そうじゃないかもしれない。昼前にI宅に着いてから二一時に就寝《しゅうしん》するまでの間、そして翌朝五時に起きてから昼前に去るまでの間、ウルドゥー語やカラーシャ語、コワール語を手掛《てが》かりにしつつ、カティ語を聞いて聴《き》いて訊《き》きまくった。

そう、言語調査こそが僕の本分だ。ある言語の話者たちの暮らす地域へ直々に出向き、実際の言語使用の現場で見聞きし、データを集め、そこから言語研究をする学問をフィールド言語学と言う。そして僕はフィールド言語学者である。

ちなみにI宅での食事は、昼にヤギ肉の煮込み、夕飯にヤギ肉と胡桃とを煮詰《につ》めたカタ人の伝統料理《wini《ウィニ》》、朝飯に残り物のウィニと、三食ヤギ肉三昧《ざんまい》。ウィニは、何に由来するのかアンモニア臭が強く、味はともかく、トイレの床《ゆか》を食べているみたいな気分になった。彼らの嗅覚《きゅうかく》はどうなっているのだろう。彼らはビタミンをどう確保しているのだろう。

扉《とびら》すらない部屋で10℃を下回る寒い夜を乗り越《こ》え、翌八日。炎天《えんてん》に汗をかきつつバラングルー村へ帰ると、昼の村長邸に、昨日から泊まっているらしい新客が。英語で饒舌《じょうぜつ》に話しかけてくるのは、四〇歳前後のスペイン人Mさん。英語が大の苦手な僕が、そのマシンガン・トークにやや辟易《へきえき》していると、彼女の恋人《こいびと》だという男性も遅《おく》れて登場した。

《léi《レイ》, noború《ノボル》 báa《バー》 na《ナ》. be《ベ》 éčáa《エチャー》?》（おい、ノボルじゃないか。何してんだ？）

突然、耳馴染《なじ》みのある言語であるブルシャスキー語で僕の名前が呼ばれた。げっそりしていた瞳《ひとみ》を持ちあげてその男性を見ると、直線距離でも遠く東に三〇〇㎞は離《はな》れたフンザ谷でよく見た顔。一ヶ月前にも会った、友人Sだ。

スペイン人とお付き合いしていたとは知らなかった。観光で、二人でカラーシャの谷に来たらしい。カラーシャ語よりも断然話し易いブルシャスキー語で、Sと僕の二人、会話に花を咲かせる。それを見て、村長一家は唖然《あぜん》とした。

《óho《オーホ》, tạ́te《タテ》 gilgití《ギルギティ》 zubán《ズバーン》 di《ディー》 góyana《ゴヤナ》?》（何だ、お前はギルギットの言葉も話すのか）

普段《ふだん》はチトラール市の大学に通っている村長の五男坊《ぼう》Jが、地域共通語のコワール語で尋《たず》ねてきた。彼はカラーシャ語も話すのだが、大学で友人らと話すコワール語のほうが最近は話し易いらしい。

《mạ́te《マテ》 gilgití《ギルギティ》 ṣinwár《シンワル》 di《ディー》 chek《ツェク》...》（ギルギット市のシナー語も多少は……）「、ええと、」“تھوڑی《トーリー》 کچھ《クッチ》 آتی《アーティー》 ہے《ヘエ》، لیکن《レーキン》 یہ《イエ》 زبان《ザバーン》 بروشسکی《ブルーシャスキー》 تو《ト》 اور《オオル》 آگے《アーゲー》 مشرق《マシリク》 طرف《タラフ》، ہنزہ《フンザー》 وادی《ワーディー》 کی《キ》 ہے《ヘエ》”（多少は分かるけど、このブルシャスキー語はさらに東の、フンザ谷の言語だ）

彼に釣《つ》られてコワール語で話し始めたが実力的に難しく、文章の途中《とちゅう》から国語のウルドゥー語に切り替《か》えて、そう答える。カラーシャ語、コワール語、ウルドゥー語と、会話のチャンネルが三つもあるお蔭《かげ》で、表現に窮《きゅう》した時に避難《ひなん》路があって助かった。

《pattá《パッタ》 nuš《ヌシ》 na《ナ》 gíiltga《ギールトガ》 hunzáay《フンザーイ》 majáa《マジャー》 jéek《ジェーク》 phalq《パルク》》（ギルギットもフンザも区別が付かないんだろう）

後ろでフンザ人Sがわざとらしくシナー語でそう言って、笑う。

そこに、三〇年前にカラーシャ人と結婚《けっこん》し、ここで暮らしている日本人女性Aさんも登場した。彼女の存在はツーリズム業界でも有名らしく、スペイン人Mさんも予《かね》てから知っていたらしい。英語で黄色い声が上がった。

“Oh《オー》, you《ユー》 must《マスト》 be《ビー》 Ms.《ミズ》 A《エー》 living《リビング》 here《ヒア》, right《ライト》?”（あなたがここに住んでいるというAね！）

「あらあら、今日はお客さんがたくさんいますね」

日本語で僕にそう話しかけつつ、Aさんは、我が家のように手馴《てな》れた所作で椅子《いす》を引き寄せて腰掛《こしか》けた。その奥から、音量調整の雑な近所のオッサンが、カラーシャ語で叫《さけ》ぶように喋《しゃべ》る。みんな好き勝手に話すので、場が混沌《こんとん》としてきた。

《báya《バーヤ》, doṣ《ドシ》 kawáy《カワイ》 pái《パーイ》 ási《アスイ》!》（兄ちゃん、昨日はどこに行っていたんだ！）

《cátruma《チャトルマ》 grom《グローム》 risárč《リサルチ》 kárikas《カーリカス》 báti《バティ》 apáris《アパリス》, aḷáy《アライ》 apáw《アパウ》 dái《ダーイ》, ghéri《ゲーリ》 íta《イタ》 áam《アーム》》（カタ人の村に調査しに行って、泊まって来たんだ）

何とかカラーシャ語で作文して返す。カラーシャ人にはちょっとだけカティ語を解する者もあるが、それでも全くの別言語だし、オッサンはカティ語を話せない人なので、大声で驚きを返してきた。

《kaḷạ́ṣa《カラーシャ》 mon《モン》 že《ジェ》 čátruma《チャトルマ》 mon《モン》 že《ジェ》 káas《カース》 day《ダイ》 e《エ》!》（カラーシャ語以外にカティ語も調査しているのか！）

それを耳聡《ざと》く聞いて、部屋の奥で不機嫌《ふきげん》そうに座っていた、ちょっとカティ語の解る長女Gが、からかうように、誰《だれ》にともなく言う。

《kóki《コキ》 šía《シア》 mančí《マンチ》 áao《アーオ》. mančí《マンチ》》（マンチだものね。マンチ）

MさんがSに英語で“What《ホワット》 is《イズ》 mančí《マンチ》?”（マンチって何？）と尋ねるのが聞こえた。そしてSが僕にブルシャスキー語で《mančíe《マンチエ》 bésan《ベサン》 maaní《マーニ》 bilá《ビラ》?》（マンチって何だ？）と伝言ゲームをする。

《“hír《ヒル》”. nuuristaaníulo《ヌーリスターニウロ》 hírar《ヒラル》 séibáan《セイバーン》》（『ヒル（男）』。カティ語で男のことを言うんだよ）

そう答えた僕に、隣に座ったAさんが日本語で「今言ったヒルって、何語なの？　どういう意味？」と尋ねた。さあ、タフな団欒になるぞ。

＊本文中の《　》は、文字のない言語を音声記号で仮に表記した部分です。
一方で、“　”は、日本語以外の文字のある言語の原語の綴りを示したものです。

＊ウルドゥー語は右から左に綴るため、文字の向きを左回転させています。

吉岡乾
Yoshioka Noboru

一九七九年一二月三日（月）、千葉県船橋市生まれ。博士（学術）。国立民族学博物館准教授。男。右利き。背丈は一八〇㎝。黒髪茶眼。著書に、『なくなりそうな世界のことば』『現地嫌いなフィールド言語学者、かく語りき。』（ともに創元社）。趣味はレトロゲーム、漫画、卓球、ママチャリ（変速ギアなし）での遠出、可愛いもの収集、写真、宝石集め。苦手なものは、パクチー、英語、指が汚れること、おべっか、乗り物。

《išpáta!》《イシパータ》

カラーシャ語はこんな言葉

インド・ヨーロッパ語族インド・イラン語派インド語派北西グループに属し、話し手は約五千人。パキスタン北西部に住むカラーシャ人の民族語。文字を持たない。文法的に一番近い言語は、隣接《りんせつ》して話されるコワール語である。過去時制で、伝聞か否かの証拠《しょうこ》性を動詞の語形変化で示し、「彼は行った」と「彼は行ったそうだ」とを義務的に区別するのが特徴《とくちょう》的。母音には、普《ふ》通《つう》の母音系列と、舌先を反らして発音する反舌《そりじた》母音（R音性母音）系列とがある。独自の多神教を信仰《しんこう》しているカラーシャ人は、アフガニスタンの間近、ブンブレト、ルンブール、ビリールという三つの谷に住んでおり、谷ごとに方言差がある。ここで用いたのはルンブール方言。

魔除けの人形だろうか？　ここでは人々の生活の中心に祭祀がある。（インド、カルナータカ州ウッタラ・カンナダ県の村で）

「アイスクリーム売りが来たよ!」（前頁と同じくカルナータカ州の村で）

写真協力　石井美保（p72-73, p221-222）、佐紀子ダオワナ（p124-125）
編集協力　揚石圭子（p144-150）

参考文献　『ありがとうもごめんなさいもいらない森の民と暮らして人類学者が考えたこと』（奥野克巳 著、亜紀書房刊）
『事典 世界のことば141』（梶茂樹・中島由美・林徹 編、大修館書店刊）
『世界言語百科』（ピーター・オースティン 編、澤田治美 日本語版監修、柊風舎刊）
『なくなりそうな世界のことば』（吉岡乾 著・西淑 絵、創元社刊）

14歳の世渡り術

わたしの外国語漂流記
未知なる言葉と格闘した25人の物語

2020年2月18日　初版印刷
2020年2月28日　初版発行

編　者　河出書房新社

著　者　阿部賢一　石井美保　上田広美　鵜木桂　岡田環　奥野克巳
菊澤律子　木部暢子　佐紀子ダオワナ　佐久間裕美子　佐脇千晴
シベリカ子　杉山愛　関野吉晴　竹輪大学大学院言語学研究室
藤間寿紀　橋本宏一　古川敏明　松村圭一郎　丸山ゴンザレス
山本貴光　吉岡乾　吉田欣吾　LiLiCo　渡辺佑基

ブックデザイン　高木善彦（SLOW -LIGHT）

発行者　小野寺優
発行所　株式会社河出書房新社
〒151-0051　東京都渋谷区千駄ヶ谷2-32-2
電話　(03) 3404-1201（営業）／(03) 3404-8611（編集）
http://www.kawade.co.jp/

印　刷　凸版印刷株式会社
製　本　加藤製本株式会社

Printed in Japan
ISBN978-4-309-61721-3